U0109935

中國大陸僑務政策與工作體系之研究

A Study on the Policy and Operational Work System of the Overseas Chinese Affairs in China

范世平　著

自　序

2005 年 2 月 1 日，我走出了金門航空站，凜冽的海風朝我撲來，我前往金門技術學院報到。未來的不確定讓原本堅定的我，也不禁打了一個寒顫，我在同學們都稱羨的銘傳大學任教，對於新科的本土博士來說這已經是最好的安排；家人也充滿疑慮，小孩一個六個月，一個不到不到兩歲，我拋妻棄子的前往「前線」，回不來怎麼辦；在飛機上我思考著，這將是我未來唯一「上班」的交通工具。

就憑著李金振校長與陳建民院長的兩句話，「金門是個可以發展抱負的地方」，「研究兩岸關係應到最前線」，我毅然決然的來到金門，一個我當兵分發抽籤時最不想去的地方。

人生有趣之處就在於處處充滿希望與驚喜，一到金門是在運動管理系，從沒想過自己竟然會當上體育老師，對於習慣挑戰的我，既能健身又能上課，何樂不為。因此在太武山巔、高粱田中、下湖海邊與縣立體育館，都有我與同學爬山、騎自行車與打球的身影。之後，奉命於 2006 年籌辦國際事務系，2007 年籌辦中國大陸研究所，從無到有真是最有成就感的事。

之後，才知道金門原來是我國重要的僑鄉，從清光緒 7 年（1881 年）至 1930 年為止，大批鄉親遠赴海外工作，目前人數約為 80-100 萬，多數經商有成，例如全球富豪第 55 名之馬來西亞僑領楊忠禮、新加坡「大華銀行」主席黃祖耀，「東南亞 SMI 集團」與「太平洋控股公司」董事長之「印尼華裔總會」榮譽主席黃進益等，因此從金門出發進行大陸僑務政策與機構之研究，實兼具地方特色與學術意義；此外，與金門僅一水之隔的廈門大學、華僑大學，均為全球華僑研究之重鎮，也提供相關研究之便利性。

自此之後，大陸僑務政策成為我新的研究課題，不但撰寫了金門縣誌中的「華僑誌」，相關著作也一一在學術期刊中發表，這包括列名於「TSSCI」中的刊物。而我也在 2008 年 8 月離開金門，來到台師大任教。但是，金門的藍天、太武山、中山林、廣東粥、高粱酒、嗆蟹與沙蟲，加上好朋友，都是我漫漫長夜魂牽夢縈的地方；而濃霧時無法回台的急切、搶機位的緊張與騎機車時迎面而來的寒風卻也讓我永難忘懷。

這本書，是從交易成本的理論出發，探討大陸的僑務政策變遷、僑務工作體系與兩岸之僑務休兵。其中，在第二章介紹了交易成本理論的發展與影響，以及相關理論在政府與制度變遷上的運用；第三章則探討了大陸僑務政策之變遷過程，這分成中共建政後至文革時期與改革開放之後等兩個階段進行探究，並透過交易成本理論分析其僑務政策變遷的意義；第四章是探討當前大陸的僑務工作組織與體系，並藉由交易成本理論進行分析；第五章則從兩岸外交休兵的發展來看僑務休兵之可能性，首先是探討從 2008 年以來兩岸外交休兵的發展與影響，之後則分析兩岸僑務休兵的背景與情況。第六章的結論，則分別針對本文之研究貢獻與發現，以及後續研究建議進行探討。

這本書不敢說有什麼貢獻，但卻是台灣少數探討此一議題的學術著作。僅以此書獻給我的第二個故鄉金門，我國際系與大陸所一手拉拔的同學，相處極為愉快的長官與同事。唯一的遺憾，是我原本規劃已久的華僑研究所因故未能成立，雖然在教育部進行報告時，評審委員都很肯定與支持，但礙於師資卻無法如願。希望大家一起努力，我始終相信金門是全台灣最適合進行華僑研究的地方。

然而令我感到欣慰的是，在來到台師大後，才發現由於僑大已經併入而成立了「國際與僑教學院」，使得台師大成為我國僑生教育的最重要搖籃，我也有幸在該院任教僑務相關課程，使我不得不相信，冥冥之中似乎都有安排。

感謝台師大政治學研究所提供本人極佳之研究環境，也感謝社會科學學院林東泰院長，所上陳延輝、黃城、陳文政、曲兆祥、許禎元、王冠雄與蔡昌言等諸位教授的支持與協助，讓我尚能兼顧研究與行政工作。感謝台師大政治學研究所博士班同學陳慧瑩、單文婷、許博達、黃進德、蔣邦文與高武銘的協助校稿，感謝家人對於我的體諒，特別是內人惠君長期的支持。我會更加努力，在所深愛的學術研究領域貢獻一己之力。

范世平

誌於師大誠大樓研究室

2009 年 12 月

目　次

表目次

圖目次

第一章　緒論

本章將從總體面的角度，分別針對本書之研究動機與目的、文獻回顧與評析、研究方法、研究範圍與限制、研究程序與章節安排、名詞詮釋等內容，進行探討。

第一節　研究動機與目的

以下僅就本研究之相關背景與初衷，以及希望達成之具體成果提出說明：

壹、研究動機

孫中山先生曾說：「華僑為革命之母」，可見華僑對於中國近代革命運動所扮演的角色，而我國早在 1926 年便在行政院下成立「僑務委員會」（以下簡稱僑委會），顯示對於華僑事務的重視。而在 1949 年國府播遷來台後，不論在台灣經濟發展與政治發展的進程中，海外僑胞的貢獻都是有目共睹。然而近年來，隨著中國大陸綜合國力之巨幅提升，不斷拉攏原本親我之華僑，使得兩岸在海外的競爭日益白熱化。

根據大陸「中國新聞社」在 2009 年所發布的「2008 年世界華商發展報告」中指出，在 2000 年時全球華僑約為 4,000 萬人，2008

年約為 4,400 萬人，2009 年已達到約 4,800 萬人，[1]其掌握了將近 2 兆美金的資金，[2]影響力可見一斑。近年來，大陸一方面在僑務工作方面展現積極作為，另一方面也推出與過去不同的僑務政策。此外，為因應相關政策的推動，各種僑務組織也快速增加，並且形成盤根錯節與相互牽引之網絡。因此，為何大陸的僑務工作體系會呈現此一特殊組織型態，而其當前之僑務政策主要內容為何，實有加以探究之必要。

特別是在胡錦濤執政時期，其僑務政策之具體內容與操作方式，與過去相較更為彈性而充滿創意，包括：對於海外移民採取更開放之態度、僑務工作與大陸的綜合國力充分結合、對僑居國的政治影響採多層次形式、僑商協助中資開始走向國際、透過華僑輸出華文教育、反獨促統與僑務工作的緊密結合等等。尤其是其僑務工作已經充分與外交工作緊密配合，不但符合「和平發展」與「和諧世界」之外交戰略，而且充分展現「大國外交」、「軟實力」與「文化外交」的核心價值。

貳、研究目的

本研究希望達到以下之研究目的，以充分展現本研究在學術與實務上的重要性：

一、探討中國大陸僑務政策變遷的過程與影響。

二、瞭解當前中國大陸僑務工作體系與其運作模式。

---

[1] 大陸新聞中心，「海外華人，將破 4800 萬」，聯合報網站，2009 年 2 月 3 日，請參考 http://udn.com/NEWS/MAINLAND/MAI2/4714553.shtml。

[2] 賈海濤、石滄金，**海外印度人與海外華人國際影響力比較研究**（濟南：山東人民出版社，2007 年），頁 40-41。

三、分析中國大陸僑務政策發展對於我國之影響，以作為我國未來僑務工作之參考。

四、探究中國大陸僑務工作對於國際之影響。

第二節　文獻回顧與評析

以下僅就與本研究相關之文獻與研究成果進行回顧，並且提出個人之評析：

壹、文獻回顧

有關對於中國大陸僑務政策相關之研究，大致可以分成下列四大類，分別敘述如下：

一、海外華僑在僑居地政治經濟發展之相關研究

在有關中國大陸僑務之相關研究中，探討海外華人在所屬僑居地的政治經濟發展，成為相當主要的研究範疇，其主要著作內容與分類詳見表 1-1。

（一）華人在僑居地政治經濟發展

賈海濤與石滄金所著的「海外印度人與海外華人國際影響力比較研究」，就是從宏觀的角度，全面性探討華僑在海外的政治與經濟影響力，並且以印度僑民來作為比較，包括兩國僑民之分布狀況、國際影響力大小、對母國經濟發展之影響等議題進行分析。作

者發現，兩國對於僑民的認定上，中國較嚴謹而印度則較為寬鬆；但兩國僑民在海外的經濟表現上均甚為突出，而且對母國的經濟發展貢獻卓著；但兩國僑民都難以充分融入當地的社會，使得在政治與文化上有趨於邊緣化的問題。[3]

而孔（Peter H. Koehn）與尹（Xiao-huang Yin）所主編的「The Expanding Roles of Chinese Americans in U.S.-China Relations」，則探討華僑對於大陸外交拓展上的影響，並以大陸與美國的關係為例來進行分析，作者發現華僑對於大陸與美國在建交後的關係發展中，的確發揮居中斡旋與解除歧見的積極性效果，這對於華人在美國政治地位與影響力的提昇，有其正面的意義。[4]

（二）東南亞華人在僑居地的政治經濟發展

事實上，有關於華僑在僑居地的政治經濟發展，以東南亞的相關研究最多，主要原因是在全球華僑人數中，約有 61.2%集中在印尼、泰國與馬來西亞三國，其中印尼高達 730 餘萬人而居全球華僑人數首位，泰國居次達 600 餘萬人，馬來西亞第三，達 547 餘萬人；[5]而在中共建政之初，上述三國的華僑人數占全球華僑總數的比例更高達四分之三。[6]因此，針對東南亞華僑在所屬僑居地的政治經濟發展之相關著作，明顯較為豐富，並且有許多西方學者也開始注意此一議題。以下，分別從三個層面進行探討：

---

[3] 請參考：賈海濤、石滄金，**海外印度人與海外華人國際影響力比較研究**。

[4] 請參考：Peter H. Koehn and Xiao-huang Yin, *The Expanding Roles of Chinese Americans in U.S.-China Relations* (New York : M.E. Sharpe,2002).

[5] 賈海濤、石滄金，**海外印度人與海外華人國際影響力比較研究**，頁 93。

[6] 賈海濤、石滄金，**海外印度人與海外華人國際影響力比較研究**，頁 204。

1.東南亞華人與僑居地問題的原因

方金英所著的「東南亞華人問題的形成與發展」，認為東南亞「華人問題」由來已久，從十九世紀末葉的殖民時期就已經開始，除了殖民政權的排華政策外，當地民族主義者也有排華措施。而在中共建政與東南亞各國獨立後，包括泰國、菲律賓、馬來西亞與印尼等國，都曾引發激烈的排華浪潮。70 年代隨著國際情勢變化，東南亞各國政策的演變與華人心態的根本性改變，使得華人的政治問題有所緩解。當前雖然東南亞華人的同化與處境各不相同，政治地位相差甚大，但是華人社團都朝向當地化、國際化、集團化與現代化的方向發展。[7]

威廉斯（Lea E. Williams）所著的「The Future of the Overseas Chinese in Southeast Asia」則探究了華人在東南亞各國問題之形成原因、發展與解決模式。作者認為大陸在冷戰時期的革命輸出，對於東南亞華人形成了相當大的政治壓力，甚至引發東南亞許多國家嚴重侵犯華人人權的問題，但隨著冷戰結束與大陸在東南亞政策上的改變，華人在當地的政治問題正迅速獲得改善。[8]

唐慧所著的「印度尼西亞歷屆政府華僑華人政策的形成與演變」，則特別針對印尼兩任總統蘇卡諾與蘇哈托時期的華人政策進行比較，以及探討「後蘇哈托時期」的華人政策。他認為蘇卡諾與蘇哈托時期的「強制性的民族同化政策」加深了華人的恐懼與排斥；後蘇哈托時期雖然有所改善，但只是使華人達到「原則上的平等」而非「事實上的平等」；而作者也認為華人應該更積極的

---

[7] 請參考：方金英，**東南亞華人問題的形成與發展**（北京：中國現代國際關係研究所，2001 年）。

[8] 請參考 Lea E. Williams, *The Future of the Overseas Chinese in Southeast Asia* (Ann Arbor : A Bell & Howell Co., 1993).

融入印尼的主流社會，否則華人在印尼的問題仍無法根本性的解決。[9]

2.東南亞華人的內部族群問題

曾少聰所著的「漂泊與根植：當代東南亞華人族群關係研究」則強調，在二次世界大戰之後，華人社會組織朝向全國性與世界性發展，這些組織對於加強華人族群的內部聯繫與整合貢獻良多，也有助於華人與居住國社會、中國大陸的聯繫。另一方面，華人社群充滿著衝突與整合，新移民與老移民也有接觸上的問題。此外，華人族群與當地殖民者、當地土著民族間的關係相當複雜而多元，特別是華裔混血兒的問題。而在全球化下，東南亞華人朝向本土化發展是不可阻擋的趨勢，而他們的認同也出現了變化。[10]

麥（Lau-Fong Mak）所著的「The Overseas Chinese Network: Forms and Practices in Southeast Asia」，則著重於華僑社會議題之探究，其探討了東南亞華人社會的建構、族群內部之聯繫、華人與其他民族之關係、華人的族群認同與變化。基本上，東南亞各國的華人社會結構，仍然沿襲在母國時的模式；組織內的聯繫雖然非常緊密，但仍有省籍與地域之分；而隨著華僑逐漸落地生根，華人與當地種族通婚的情況也日益普遍，使得華僑後裔在民族與政治認同上，出現了矛盾與變化。[11]

---

[9] 請參考：唐慧，**印度尼西亞歷屆政府華僑華人政策的形成與演變**（北京：世界知識出版社，2006 年）。

[10] 請參考：曾少聰，**漂泊與根植：當代東南亞華人族群關係研究**（北京：中國社會科學出版社，2004 年）。

[11] 請參考：Lau-Fong Mak,*The Overseas Chinese Network : Forms and Practices in Southeast Asia* (Taipei: Academia Sinica, Program for Southeast Asian Area Studies, 1999).

3.東南亞華人在僑居地的政經參與

甘比(Annabelle R. Gambe)所著的「Overseas Chinese Entrepreneurship and Capitalist Development in Southeast Asia」，介紹了東南亞華僑的重要企業家與企業經營模式，同時探討了這些企業家與僑居地的政治經濟關係，以及與大陸母國的政治經濟關係。作者認為，當前華人在東南亞地區的經濟實力已經是舉足輕重，甚至主宰許多國家的經濟動脈；而隨著大陸在經濟上的崛起，將使華商成為東南亞各國與大陸經濟發展的臍帶，而華商在僑居地的政治地位也將因此而提高。[12]

也有許多學者從少數民族的角度，探討華人在一個國家中的政治參與問題，例如佛瑞曼（Amy L. Freedman）所著的「Political Participation and Ethnic Minorities: Chinese Overseas in Malaysia, Indonesia, and the United States」，就是以馬來西亞與印尼等排華問題較為嚴重的國家來進行個案研究，並且以美國來作為比較。由於馬來西亞、印尼與美國，在政治制度、經濟發展、社會階層與文化環境上的不同，使得華人的政治參與模式有所差異。他發現馬來西亞與印尼的華人，與在美國的華人相較，政治參與的空間明顯受到歧視與打壓，因而使得當地華人的政治地位難以提昇。[13]

---

[12] 請參考：Annabelle R. Gambe ,*Overseas Chinese Entrepreneurship and Capitalist Development in Southeast Asia* (New York : St. Martin's Press, 2000).

[13] 請參考：Amy L. Freedman, *Political Participation and Ethnic Minorities: Chinese Overseas in Malaysia, Indonesia, and the United States* (New York: Routledge,2000).

表 1-1　海外華僑在僑居地政治經濟發展之相關文獻一覽表

	作者、出版時間、研究方法	書名（篇名）、出版社（刊名）	重要研究發現
華人在僑居地政治經濟發展	賈海濤與石滄金 2007 文件分析法	海外印度人與海外華人國際影響力比較研究（山東人民出版社）	1. 探討華僑在海外的政治與經濟影響力，並以印度僑民來作為比較。 2. 兩國對於僑民的認定上，中國較嚴謹而印度較寬鬆；但兩國僑民在海外的經濟表現均甚為突出。 3. 兩國僑民都有難以融入當地社會的問題。
	孔與尹 2002 文件分析法	The Expanding Roles of Chinese Americans in U.S.-China Relations（M.E. Sharpe）	1. 華僑對於大陸與美國在建交後的關係，發揮居中斡旋與解除歧見的積極性效果。 2. 這對於華人在美國政治地位與影響力的提昇，有其正面的意義。 3. 華僑對於擴大大陸的跨國網絡與增加跨國合作的助益甚為明顯。
東南亞華人在僑居地的政治經濟發展	方金英 2001 文件分析法	東南亞華人問題的形成與發展（中國現代國際關係研究所）	1. 東南亞「華人問題」由來已久，從十九世紀末葉就已經開始。 2. 中共建政之後包括泰國、菲律賓、馬來西亞與印尼等國曾引發激烈的排華浪潮。 3. 70 年代隨著國際情勢變化，東南亞各國政策的演變與華人心態的根本性改變，使得華人的政治問題有所緩解。 4. 當前東南亞華人的同化與處境各不相同，政治地位相差甚大。

	威廉斯 1993 文件分析法	The Future of the Overseas Chinese in Southeast Asia（A Bell & Howell Co.）	1. 冷戰時期因東西陣營的對立，加上大陸的革命輸出，對於東南亞華人形成相當大的政治壓力。 2. 冷戰結束與大陸在東南亞政策上的改變，華人的政治問題正迅速獲得改善。
	唐慧 2006 文件分析法	印度尼西亞歷屆政府華僑華人政策的形成與演變（世界知識出版社）	1. 針對蘇卡諾與蘇哈托時期的華人政策進行比較。 2. 兩人主政時期的「強制性的民族同化政策」，加深了華人對印尼政府的恐懼與排斥。 3. 華人應更積極的融入印尼主流社會，否則華人問題無法根本解決。
	曾少聰 2004 文件分析法	漂泊與根植：當代東南亞華人族群關係研究（中國社會科學出版社）	1. 二戰之後華人社會組織朝向全國性與世界性發展。 2. 華人社會組織對加強華人內部聯繫與整合貢獻良多。 3. 華人社群充滿著衝突與整合，新移民與老移民也有接觸上的問題。 4. 華人族群與殖民者、當地土著民族間的關係相當複雜而多元。
	麥 1999 文件分析法	The Overseas Chinese Network: Forms and Practices in Southeast Asia（Academia Sinica）	1. 東南亞各國的華人社會結構，仍然沿襲在母國時的模式。 2. 華人社會的聯繫雖然緊密，但仍因省籍與地域而產生分歧。 3. 隨著華僑逐漸落地生根，華人與當地種族通婚的情況也日益普遍。

	甘比 2000 文件分析法	Overseas Chinese Entrepreneurship and Capitalist Development in Southeast Asia（St. Martin's Press）	1. 當前華人在東南亞地區的經濟實力已經是舉足輕重，甚至主宰許多國家的經濟動脈。 2. 隨著大陸經濟的崛起，華商成為東南亞各國與大陸經濟發展的臍帶，而華商在僑居國的政治地位也將因而提高。
	佛瑞曼 2000 文件分析法	Political Participation and Ethnic Minorities: Chinese Overseas in Malaysia, Indonesia, and the United States（Routledge）	1. 由於馬來西亞、印尼與美國，在政治、經濟、社會與文化上的不同，使得華人的政治參與模式有所差異。 2. 華人在馬來西亞、印尼的政治參與空間明顯受到歧視與打壓，因而使得當地華人的政治地位難以提昇。 3. 華人在美國的政治參與日益積極，加上新移民的增加，成為少數族裔中的新興政治勢力。

資料來源：筆者自行整理

二、中國大陸僑務政策與工作組織之相關研究

有關中國大陸的僑務政策與工作組織的相關研究，其主要著作內容與分類詳見表 1-2。首先在僑務政策的變遷探討方面，毛起雄、林曉東所著的「中國僑務政策概述」，認為在毛澤東、鄧小平與江澤民時期的僑務政策，由於國際與國內之因素而使其產生相當明顯的差異。其中毛澤東時期因為內部政治運動不斷，加上國際上的冷戰情勢，因此僑務政策趨於停滯，特別是在文化大革命時期。而鄧小平時期積極恢復停滯已久的僑務工作，並藉由吸引僑資來推動改

革開放。江澤民時期則因大陸綜合國力提昇，使得其僑務政策更為積極而多元。[14]

王（Gungwu Wang）所著的「China and the Chinese Overseas」，也探討了大陸從過去以來的僑務政策，特別是中共建政之後的相關作為。作者認為中共建政之後的僑務政策，在 1978 年改革開放之前與之後，有相當顯著的差異。而在 1989 年六四天安門事件後，華僑協助中共重新走向國際。[15]

田雛鳳所著之「江澤民僑務思維及政策之研究」，特別針對江澤民時期的僑務政策提出論述，他認為江澤民時期的僑務「新思維」是以「三個代表」為基礎，由於當時兩岸關係出現緊張，因此希望建立「華僑反獨促統」的統一戰線。而在僑務政策方面，則是以民族情感為訴求，加強保障歸僑與僑眷之合法權益、引進僑資與人才回到大陸、重視海外華文教育等措施，因此對於大陸的國家發展貢獻良多。基本上，作者認為鄧小平時期的僑務政策是屬於「內向型」，是以吸引華僑回國為主，而江澤民時期的僑務政策則是屬於「外向型」，希望藉由華僑使大陸走向國際。[16]

另一方面，有關僑務工作組織方面的研究，目前多數是從宏觀的角度，探討大陸的黨政機構中有關僑務的部分，至於完全針對僑務工作組織與體系的探究較少。其中邵宗海所著的「中共中央工作領導小組的組織定位」，係針對中國共產黨的各種工作領導小組進行探討，其中與僑務工作有直接關係的領導小組，就是「外事工作領導小組」。該小組實質上領導了國務院的外交部、對外貿易部、

---

[14] 請參考：毛起雄、林曉東，**中國僑務政策概述**（北京：中國華僑出版社，1993 年）。

[15] 請參考：Gungwu Wang, *China and the Chinese Overseas* (Singapore: Times Academic Press, 1991).

[16] 請參考：田雛鳳，「江澤民僑務思維及政策之研究」，銘傳大學國家發展與兩岸關係碩士在職專班碩士學位論文（2006 年）。

海關總署、旅遊局、外事辦公室，和對外友協等涉外單位。而從該小組的主要成員背景來看，通常包括國家主席、總書記、黨中央對外聯絡部部長、國務院總理、負責外交事務的國務院副總理、外交部部長及對外貿易經濟合作部部長等，小組領導人也就是小組長一職通常多為國家主席、總書記或國務院總理擔任。[17]

而由中央編委辦公室綜合司主編的「中央政府組織機構」，則介紹大陸中央政府不同體系的組織機構，其中亦包含與僑務工作相關之單位，如中國人民政治協商會議全國委員會、全國人民代表大會、中共中央統一戰線工作部與國務院僑務辦公室（以下簡稱國僑辦）。[18]

表 1-2　中國大陸僑務政策與工作組織相關文獻一覽表

大陸僑務政策變遷	作者、出版時間、研究方法	書名（篇名）、出版社（刊名）	重要研究發現
	毛起雄、林曉東 1993 文件分析法	中國僑務政策概述（中國華僑出版社）	1. 大陸不同時期的僑務政策，因國際與國內因素而產生明顯差異。 2. 毛澤東時期僑務政策趨於停滯。 3. 鄧小平時期積極恢復僑務工作與吸引僑資。 4. 江澤民時期僑務政策趨向積極多元。

[17] 請參考：邵宗海，「中共中央工作領導小組的組織定位」，**中國大陸研究**，第 48 卷第 3 期（2005 年 9 月），頁 1-24。

[18] 請參考：中央編委辦公室綜合司編，**中央政府組織機構**（北京：中國發展出版社，1995 年）。

	王 1991 文件分析法	China and the Chinese Overseas（Times Academic Press）	1. 中共建政之後的僑務政策，在1978 年改革開放之前與之後，有相當顯著的差異。 2. 1989 年六四天安門事件後，華僑協助中共重新走向國際。
	田雛鳳 2006 文件分析法	江澤民僑務思維及政策之研究（銘傳大學國家發展與兩岸關係碩士在職專班碩士學位論文）	1. 江澤民時期的僑務「新思維」是以「三個代表」為基礎。 2. 鄧小平時期的僑務政策是屬於「內向型」，江澤民時期是屬於「外向型」。 3. 江澤民時期的僑務政策是以民族情感為訴求、保障歸僑與僑眷之合法權益、引進僑資與人才回到大陸、重視海外華文教育等措施。
大陸僑務工作組織	邵宗海 2005 文件分析法	中共中央工作領導小組的組織定位（中國大陸研究，第 48 卷第 3 期）	1. 中央外事工作領導小組，領導國務院的外交部、對外貿易部、海關總署、旅遊局、外事辦公室，和對外友協等涉外單位。 2. 小組成員包括國家主席、總書記、國務院總理、負責外交事務的國務院副總理、外交部長、對外貿易經濟合作部長及黨中央對外聯絡部長等人。
	中央編委辦公室綜合司 1995 文件分析法	中央政府組織機構（中國發展出版社）	當前中共中央與僑務工作有相關之單位，包括： 1. 中國人民政治協商會議全國委員會。 2. 全國人民代表大會。 3. 中共中央統一戰線工作部。 4. 國僑辦。

資料來源：筆者自行整理

三、華僑發展史的相關研究

有關華僑發展歷史的研究，過去以來一直是華僑研究的傳統項目，研究的學術領域也多以歷史學、人類學、民族學為主。其中尤其以國外的著作較多，筆者研判應該是外國學者對於華僑之議題雖感興趣，但鑑於文化與語言之隔閡，因此仍從最基本的歷史向度出發，以徹底瞭解華僑發展之歷程，作為日後其他研究之基礎，相關的研究內容與分類，詳見表 1-3。

表 1-3　華僑發展史相關文獻一覽表

總體之華僑發展史相關研究	作者、出版時間、研究方法	書名（篇名）、出版社（刊名）	重要研究發現
	任貴祥 2005 文件分析法	華僑與中國民族民主革命（中央編譯出版社）	1. 華僑在辛亥革命、討袁護法、第一次國共合作中扮演重要的支持角色。 2. 在國民革命階段，華僑支持五卅運動與省港大罷工，並配合北伐戰爭。 3. 對日抗戰時華僑出錢出力，並爭取國際援華。 4. 中共建政過程中，華僑回國參政議政。
	莊國土 2001 文件分析法	華僑華人與中國的關係（廣東高等教育出版社）	1. 17-20 世紀東南亞華人移民社會逐漸形成。 2. 20 世紀華僑民族主義的發展，對於辛亥革命與中共建政均有直接貢獻。 3. 改革開放後，僑資與大陸經濟產生了密切合作的關係。

			4. 僑資對台灣經濟的幫助曾非常明顯，台灣也積極發展華僑教育。
	顏 1995 文件分析法	Studies in Modern Overseas Chinese History（Times Academic Press）	1. 在當代中國的歷史發展階段中，華僑扮演了非常重要的角色，特別是從推翻滿清、抗日戰爭到中共建政。 2. 華僑在海外的發展與其他國家僑民相較，的確有其特殊性。 3. 華僑雖在海外，仍難以充分融入當地文化。
	希克斯 1993 文件分析法	Overseas Chinese Remittances from Southeast Asia：1910-1940（Select Books）	1. 1910 到 1940 東南亞華僑的海外匯款，對於故鄉的家庭經濟改善，起了相當明顯的效果。 2. 福建、廣東許多年輕男子均渡海前往東南亞討生活。 3. 許多匯款也對於地方建設，特別是設立學校，影響深遠。
	辛 1998 文件分析法	The Last Half Century of Chinese Overseas（Hong Kong University Press）	1. 中共建政之後，海外華僑被迫在政治上選擇支持中共或是台灣。 2. 到文革爆發之前，華僑對中共的支持，有助於其政權的合法性地位，並突破以美國為首西方國家的圍堵。
單一國家華僑發展史之研究	黃昆章與吳金平 2001 文件分析法	加拿大華僑華人史（廣東高等教育出版社）	1. 在 1858 至 1884 年，許多廣東人前往加拿大挖礦與建築鐵路，形成初步的華僑社區與組織。 2. 1885 至 1922 年一方面華僑被確立「二等僑民」的地位，另一方面對於辛亥革命也從立場分歧到趨於一致。

			3. 1923 至 1947 年加拿大禁止華僑入境。 4. 1948 至 2000 年移民相關法規的放寬，華僑人數大幅增加。
	麥禮謙 1997 文件分析法	從華僑到華人：二十世紀美國華人社會發展史（三聯書店）	1. 華人僑團包括邑界、姓界、堂界、行會與中華會館。 2. 土生華裔社群的出現象徵華僑社會的變化。 3. 華僑工人運動的發展提振了華人在美國的地位。 4. 華僑在台灣獨立與民主運動中扮演重要角色。
	周敏 2006 文件分析法	美國華人社會的變遷（上海三聯書局）	1. 美國華人社會人口與社區發展趨勢，是朝向「族群內部多元化」。 2. 紐約與洛杉磯的新興華人社區發展迅速。 3. 華人社團組織的變遷非常明顯，而隨著新華人的增加，華人專業團體、校友會、政治組織、平權組織也發展快速。 4. 華文媒體雖成長快速但仍有侷限性。
	吳前進 1998 文件分析法	美國華僑華人文化變遷論（上海社會科學院出版社）	1. 從 1848 年到 19 世紀末，唐人街的文化是因循中國社會的傳統。 2. 20 世紀初到 1943 年，隨著「土生族」的出現，一方面在文化涵化上產生了困惑，另一方面也提出了自省。 3. 1943 年隨著新移民的增加，出現了政治參與的需求與文化覺醒。

資料來源：筆者自行整理

（一）總體的華僑發展史研究

任貴祥所著的「華僑與中國民族民主革命」，探討了華僑與辛亥革命、討袁護法、國共合作、國民革命、對日抗戰與中共建政等革命運動中，華僑所扮演的角色。在辛亥革命階段，華僑積極參與興中會的創立，南洋同盟會等革命組織也迅速增加，而在革命成功之後許多華僑甚至回國參政；在討袁護法、五四運動與第一次國共合作中，華僑均扮演了重要的支持角色；在國民革命階段，華僑支持五卅運動與省港大罷工，並配合北伐戰爭與促進第二次國共合作；至於在對日抗戰時期，華僑一方面出錢出力，另一方面聲討汪精衛政權，並爭取國際援華；而在中共建政過程中，華僑也紛紛回國參政議政。[19]

莊國土所著的「華僑華人與中國的關係」則指出，17～20 世紀初期，東南亞的華人移民社會逐漸形成。20 世紀初葉，華僑民族主義的發展，對於辛亥革命與中共建政均有直接貢獻。至於在中共建政之初，強調華僑在政治上要認同與經濟上協助建設新中國，但是華僑應歸化於當地，而在僑務政策上則強調積極保護歸僑與僑眷的利益。二次大戰之後，東南亞華人的經濟力量迅速崛起，但在政治立場上也逐漸轉為認同與效忠僑居地政府。而在 70 年代以後，隨著華人新移民的出現，使得華人社會出現了結構性的變化。改革開放之後，僑資與大陸經濟產生了密切合作的關係，其中特別是福建與廈門地區最為顯著。另一方面，在 50～80 年代，僑資對於台灣經濟的幫助也非常明顯，台灣政府也積極發展華僑教育。[20]

---

[19] 請參考：任貴祥，**華僑與中國民族民主革命**（北京：中央編譯出版社，2005 年）。
[20] 請參考：莊國土，**華僑華人與中國的關係**（廣州：廣東高等教育出版社，

顏（Ching-huang Yen）所著的「Studies in Modern Overseas Chinese History」，介紹了華僑從清代以來的移民奮鬥歷程，而在當代中國的歷史發展階段中，華僑也扮演了非常重要的角色，特別是從推翻滿清、抗日戰爭到中共建政，這在其他國家是比較少看到的現象。此外，作者認為華僑在海外的發展與其他國家的僑民相較，的確有其特殊性，包括對母國政治運動的積極參與、僑社僑團的組織動員、堅持傳統文化的傳承、華僑報紙的積極角色等。因此不但許多地方讓西方國家難以充分理解，也使得華僑雖然身在海外，仍難以充分融入當地的文化。[21]

另一方面，華僑發展史的研究也開始朝向階段性與區域性發展，就階段性來說，若干學者僅探討某一時期的華僑發展史。例如希克斯（George L. Hicks）所主編的「Overseas Chinese Remittances from Southeast Asia: 1910-1940」，其認為從 1910 年到 1940 年，也就是從民國成立到二次世界大戰期間，東南亞華僑的海外匯款，對於故鄉的家庭經濟改善，起了相當明顯的效果。由於福建、廣東等沿海省分外移方便，加上距離東南亞較近，以及當地的謀生不易，因此許多年輕男子均渡海前往東南亞討生活。而這些海外匯款對於地方建設，包括設立學校、公共建設等，助益與影響也相當深遠。[22]辛（Elizabeth Sinn）所主編之「The Last Half Century of Chinese Overseas」，則探討二十世紀下半葉的華僑發展，從 1950 中共建政之後，海外華僑被迫在政治立場上選擇支持中共或是在台灣的蔣介石政權，至於海峽兩岸也積極爭取華僑的支持。到文革爆發之前，

2001 年）。

[21] 請參考：Ching-huang Yen, *Studies in Modern Overseas Chinese History* (Singapore: Times Academic Press, 1995).

[22] 請參考：George L. Hicks,*Overseas Chinese Remittances from Southeast Asia: 1910-1940* (Singapore: Select Books, 1993).

華僑對中共的支持，有助於其政權的合法性地位，並突破以美國為首的西方國家圍堵。[23]

（二）單一國家的華僑發展史研究

至於就區域性來說，許多著作是針對某一國家的華僑發展史來加以探討，因此是屬於個案研究，如此可以避免全面性探討的過於籠統。由於美國的華僑人數較多，故相關研究也較為豐富。

例如黃昆章與吳金平所著的「加拿大華僑華人史」，探討在1858至1884年，許多廣東人前往加拿大挖礦與建築鐵路，如此形成了初步的華僑社區與組織。而從1885至1922年，一方面在加拿大由於種族歧視，使得華僑被確立為「二等僑民」的地位；另一方面對於中國的辛亥革命，加拿大華僑內部也從支持保皇與贊同革命的立場分歧，到逐漸趨於一致的支持民國建立。1923至1947年由於「中國移民法」的頒布，使得加拿大開始禁止華僑入境，而華僑經濟也陷入困境，但各類型的華僑社團卻紛紛成立。至於1948至2000年，由於加拿大移民相關法規的放寬，使得華僑人數大幅增加，華人經濟與社團也蓬勃發展。[24]

麥禮謙所著的「從華僑到華人：二十世紀美國華人社會發展史」，其認為美國的華人僑團包括有邑界、姓界、堂界、行會與中華會館等不同組織，而華文報業與華文教育對於華人社會體系的確立，也具有相當正面的幫助。此外，在排華時期的華人經濟，是以洗衣、餐館與雜貨三大行業為主。至於土生華裔社群的出現，則象

[23] 請參考：Elizabeth Sinn, *The Last Half Century of Chinese Overseas* (Hong Kong: Hong Kong University Press, 1998).

[24] 請參考：黃昆章、吳金平，**加拿大華僑華人史**（廣州：廣東高等教育出版社，2001年）。

徵華僑社會的變化，這基本上是受到美國教育制度與基督教會的影響。而華僑工人運動的發展，則提振了華人在美國的地位。基本上，從二次世界大戰到 60 年代，華僑在美國的政治、經濟、社會與文化等領域的變化甚大，另一方面，華僑在台灣獨立與民主運動中也扮演重要的角色。[25]

周敏所著的「美國華人社會的變遷」，首先強調美國華人社會人口與社區的發展趨勢，是朝向「族群內部多元化」發展。華人一方面是「模範的少數族裔」，但另一方面卻是「永久的外國人」。而紐約與洛杉磯的新興華人社區發展非常快速，如法拉盛、蒙特利爾公園市，都形成華人的新興生活圈，唐人街則成為華人經濟的中心。至於華人社團組織的變遷則非常明顯，傳統的組織如宗親會、會館、堂會、中華會館、華文學校等，面臨了變化的挑戰，而隨著新華人的增加，華人專業團體、校友會、政治組織、平權組織則發展快速。另一方面，華文媒體，包括日報、週刊、電視、電台與網路，隨著華人數量的增加而迅速成長，但仍有其發展的侷限性，而其究竟是推動還是阻礙華人融入美國主流社會，則仍有不同的見解。[26]

吳前進所著的「美國華僑華人文化變遷論」，其認為從 1848 年到 19 世紀末，唐人街的文化是因循中國社會的傳統，但另一方面在因循傳統上也出現了無奈，而在適應改造上也有不易的情況。從 20 世紀初到 1943 年，隨著「土生族」的出現，一方面在文化涵化上出現了困惑，另一方面也出現了華僑的自省。在 1943 年之後，隨著新移民的數量增加，華僑從事科技產業的人數增加，華僑期待更多的政治參與，加上文化的覺醒與社會變遷，使得美國華人社會產生了明顯變化。[27]

---

[25] 請參考：麥禮謙，**從華僑到華人：二十世紀美國華人社會發展史**（香港：三聯書店，1997 年）。

[26] 請參考：周敏，**美國華人社會的變遷**（上海，上海三聯出版社，2006 年）。

[27] 請參考：吳前進，**美國華僑華人文化變遷論**（上海：上海社會科學院出版

四、華僑學術研究之定位

近年來，中國大陸的華僑研究一直希望能夠成為獨立的學門，因此也有若干著作開始探討「華僑學」的定位，例如李安山所主編的「中國華僑華人學：學科定位與研究展望」，就深入探討了過去以來華僑研究在不同社會科學領域中的角色，以及希望發展成為獨立的「華僑華人學」所面臨之挑戰。[28]不可諱言的，中國大陸學界的此一想法與規劃，有其政治上的目的，憑藉著廣大的華僑人數，希望建構出有別於西方社會科學的新興學門。雖然目前看來距離目標仍有一段距離，相關論述也未趨成熟，但至少走出了艱困的第一步。吳小安則在其「福建學與東南亞福建學：個案透視與學術建構」一文中指出，福建籍的海外華人華僑約 1,068 萬人，在港澳地區的鄉親約 123 萬人，國內歸僑約 12 萬人，僑眷 600 萬人，如此特別的「僑鄉文化」，加上福建其他特殊的歷史文化，可以建構一套「福建學」。而所謂福建學是指以福建作為區域共同體與地方文化認同，在中國社會、經濟、政治、歷史大背景下，所長期呈現的一種獨特歷史進程與社會、經濟、政治、文化發展模式。[29]王銘銘在其「居與遊：僑鄉研究對『鄉土中國』人類學的挑戰」一文中指出，僑鄉是在「耕讀」的傳統基礎上所建立的，而早期華僑在故鄉與僑居地都有配偶與家庭的情況下，形成所謂的「雙邊共同體」，其在故鄉與僑居地之間游離與回歸，在這種「居」與「遊」的關係結構

社，1998 年）。

[28] 請參考：李安山主編，**中國華僑華人學：學科定位與研究展望**（北京：北京大學出版社，2006 年）。

[29] 吳小安，「福建學與東南亞福建學：個案透視與學術建構」，林忠強、陳慶地、莊國土、聶德寧主編，**東南亞的福建人**（廈門：廈門大學出版社，2006），頁 23-46。

中建立了「文化中國」。[30]有關華僑學術研究定位之相關文獻，詳見表 1-4。

表 1-4 華僑學術研究定位之相關文獻一覽表

華僑研究	作者、出版時間、研究方法	書名（篇名）、出版社（刊名）	重要研究發現
之定位	李安山 2006 文件分析法	中國華僑華人學：學科定位與研究展望（北京大學出版社）	1. 學術界希望發展獨立的「華僑華人學」，成為社會科學的新興學門，但也面臨了相當多的挑戰。 2. 中國必須儘速建構華僑華人學的學科定位。
	吳小安 2006 文件分析法	福建學與東南亞福建學：個案透視與學術建構（廈門大學出版社）	1. 福建籍的海外華人華僑約 1,068 萬人，因此可以建構一套「福建學」。 2. 東南亞的福建學已經略見雛形。
	王銘銘 2006 文件分析法	居與遊：僑鄉研究對「鄉土中國」人類學的挑戰（香港中文大學香港亞太研究所）	1. 僑鄉是在「耕讀」的傳統基礎上所建立的。 2. 華僑形成所謂的「雙邊共同體」。 3. 華僑在「居」與「遊」的關係結構中建立了「文化中國」。

資料來源：筆者自行整理

[30] 王銘銘，「居與遊：僑鄉研究對『鄉土中國』人類學的挑戰」，陳志明、丁毓玲、王連茂主編，**跨國網絡與華南僑鄉**（香港：香港中文大學香港亞太研究所），頁 15-54。

貳、文獻評析

誠如上述，長期以來有關華僑之研究，多偏向歷史學、人類學、民族學與社會學等領域，著重於華僑史、華僑在僑居地的政治經濟發展、華僑社會、僑鄉文化、地理區位、華僑人口、民族認同等議題，至於對於有關政治學領域之僑務政策探討甚為有限，而有關中國大陸之僑務政策與工作體系之探究更是明顯不足，除了早期從「統戰理論」進行分析外，其餘多為政府部門報告，故欠缺學術性之研究。[31]此外，大陸學者礙於政治敏感性，對此自身僑務政策不是敬而遠之，就是淪為政策辯護；而國外學者由於文化與語言上之差異，往往只能探究表象而無法深入，相關研究亦較為有限，如此使得台灣在此一方面研究，具有其特殊之優勢。

第三節 研究方法

對於典範（paradigm）的認識上，根據抽象程度的高低依序可以分成本體論（ontology）、認識論（epistemology）與方法論（methodology）三個層次，本研究採取「定性研究」（qualitative research），首先，在本體論方面依循了唯名論的觀點，強調個別事物的存在性與異質性，而不認同所謂「通質」與「共相」的唯實論，也不接受量化研究在自然科學邏輯下，所強調人類社會穩定性與永恆不變性的實證典範觀點，而強調人類社會的變動性與多重性；而在認識論上則強調主觀主

[31] 郭梁，「建設中國的華僑華人學：有關學科問題的幾點看法」，李安山主編，**中國華僑華人學：學科定位與研究展望**（北京：北京大學出版社，2006 年），頁 1-12。

義與交互論的立場，反對客觀主義與二元論的思維；至於方法論則是透過嚴謹之思考邏輯，對於相關文獻進行分析，並藉由思辯詮釋的方式探究與批判社會現象。因此在研究設計上，著重於嚴謹文字的推理與非線性之循環模式，強調結構性之研究策略，以達成質性研究所強調的主觀意義分享與價值判斷之研究結果。

而在研究方法（method）方面，也就是研究資料搜集的技術上，透過「非實驗性方法」（non- experimental method）之「文件分析法」（document method）來搜集與整理豐富資料，也就是圖書館式的「次級資料」（secondary data）搜集與歸納整理。基本上，次級資料研究不同於原始資料研究（primary research），原始資料強調研究者透過與被研究對象的實際接觸來獲得所需要的資料，這包括量化研究之問卷調查，以及質性研究之深度訪談、焦點團體訪談、參與觀察等，當資料搜集完後再進行資料之分析。而次級資料誠如史都華（David W. Steward）所述，包括有政府部門的報告、企業界之研究、文件紀錄資料庫、企業組織資料與圖書館中之書籍期刊等，由於搜集原始資料時通常需要昂貴的成本，因此次級資料分析就被認為是較為有效及可行的方法，故史都華認為除非確實必須以新的資料才能解答之研究問題，否則應多採用既存之次級資料。基本上，一個完整的次級資料能夠增加在原始資料研究上的有效性，因此，次級資料分析能為原始資料之研究工具提供方法上的參考，彼此也具有互補的效果。但在搜集次級資料時必需經過仔細的評估，或依據可靠性與時效性之不同水準來進行加權。在進行資料評估時，必須掌握以下六大問題：研究之目的為何；誰是資料搜集者；實際搜尋到的資料是什麼；搜集資料的時間為何；資料是透過何種管道取得；所取得的資料與其他資料是否一致。[32]另一方面，本研究將各種搜集而來

---

[32] David W. Stewart, *Secondary Research : Information Sources and Methods*

的資料進行有系統的探究詮釋，並透過比較研究法將兩個或多個同類事物，依照同一標準來對比研究，以尋找出其異同之處。

第四節　研究範圍與限制

壹、研究範圍

本研究之範圍可以區分成空間與時間兩大部分，在空間範圍方面，本書指涉的中國大陸是指中華人民共和國政府所有效管轄的地區，因此所論及到有關「中國」、「中國大陸」、「中共」、「大陸」等名詞之意義，均不包含蒙古共和國，亦不包含香港與澳門兩個特別行政區，以及中華民國政府所有效管轄之台、澎、金、馬地區。雖然香港與澳門已於 1997 與 1999 年回歸大陸，大陸對外亦聲稱具有台灣地區之完整主權，但根據目前中共官方的統計資料顯示，台灣、香港與澳門均不列入中國大陸的統計範圍內。至於在時間範圍方面，本文所探討的是從 1949 年中共建政之後的僑務政策的變遷，以及當前的僑務工作組織。

貳、研究限制

誠如前述的文獻評析，目前對於中國大陸僑務政策與工作體系之國內外學術論述相當有限，因此必須藉由大量之報紙、網路新聞等近期資料進行分析。由於報紙與網路新聞之學術性及嚴謹性較

(Newbury Park : Sage Publications, 1993), pp.1-40.

低，雖然本研究已經善盡查證之能事，但必定仍有疏漏之處，此亦為本研究難以突破之限制。此外，本研究若能採取經驗性研究，透過發放問卷所獲得之一手資料進行統計分析，可藉此瞭解華僑的意見與看法，但由於華僑分布廣泛，因此發放問卷不易，所以本研究僅能根據所搜集之次級資料進行分析，其中不免有個人主觀性之詮釋，此為研究上之限制。

第五節　研究程序與章節安排

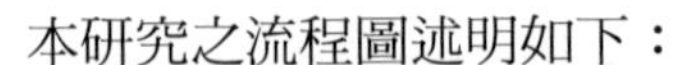

本研究之流程圖述明如下：

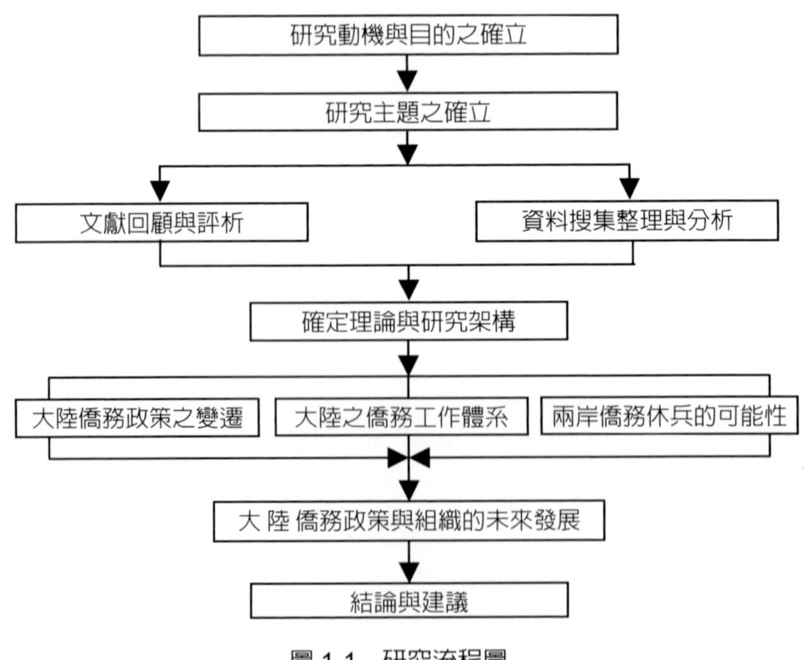

圖 1-1　研究流程圖

資料來源：筆者自行繪製

在研究之鋪陳上如圖 1-1 所示，首先是確立研究之動機、目的與欲探討之主題，並依據研究主題進行資料之搜集整理，以及有關文獻之回顧與評析，因此上述過程屬於前置性之作業，其目的在於提供後續深入探究之所需。

第二部分是探討本研究之研究架構，將針對交易成本理論進行探討。其次，依據上述研究架構分析大陸的僑務政策變遷、僑務工作體系與兩岸僑務休兵的可能性。

最後根據上述之研究結果提出總結與未來發展之評估，以及後續相關研究之建議。基本上，本研究之章節鋪陳如下：

第一章　緒論

第二章　研究途徑

第三章　中國大陸僑務政策之變遷

第四章　當前中國大陸之僑務工作組織與體系

第五章　從兩岸外交休兵看僑務休兵之可能性

第六章　結論

第六節　名詞詮釋

另一方面，從圖 1-2 則可以充分說明本研究的因果架構。本研究認為，從 2006 年發展迄今的「多元開展時期的僑務政策」，其之所以產生的原因，一是由於當前全球華人高達 3,500 萬人，掌握了近 2 兆美金資金，因此影響力相當巨大；另一則是中國大陸僑務政策經歷過以下六個發展時期，分別是 1949 至 1956 年的反蔣拉攏時期、1957 至 1965 年的發展趨緩時期、1966 至 1976 年的完全停頓時期、1977 至 1988 年的迅速發展時期、1989 至 1994 年的低潮突破時期與 1995 至 2005 年的反獨促統時期。而此一「多元開展時期的僑務政策」，其所展現的結果有三個層面，一是產生了八大僑務政策主軸，其次是六大僑務工作體系，以及未來可能發展的兩岸僑務休兵。其中，對於六大僑務工作體系，本研究透過交易成本理論的搜尋、協商、監督、代理與內部治理等五大成本角度，進行探究。

第六節　名詞詮釋

壹、中國大陸

目前對於中華人民共和國政府所有效管轄的地區，在台灣有被稱之為「中國」、「中國大陸」、「中共」、「大陸」等不同名詞，本研究採取中國大陸，或簡稱為大陸，主要原因是根據現行之「台灣地區與大陸地區人民關係條例」第二條之規定「本條例用詞，定義如下：一、台灣地區：指台灣、澎湖、金門、馬祖及政府統治權所及之其他地區。二、大陸地區：指台灣地區以外之中華民國領土」，在現行法令並未修改的情況下，本研究依據「台灣地區與大陸地區人民關係條例」所規定之稱謂，而無任何預設之政治立場。

貳、華僑

長期以來華僑因善於經營與刻苦耐勞，在許多國家位居經濟優勢地位，但也因此引發當地原住民族的不滿，僑居地政府也多質疑其忠誠度而予以歧視打壓，甚至在冷戰時期懷疑其在中國大陸「輸出革命」的策略下，成為顛覆政權的「第五縱隊」。1954 年之後，大陸為增進與東南亞國家之友好關係，因此鼓勵華僑歸化當地，以避免懷疑大陸在背後操控華僑。其中特別為了爭取當時印尼總統蘇卡諾的支持，於 1955 年簽署了「中華人民共和國和印度尼西亞共

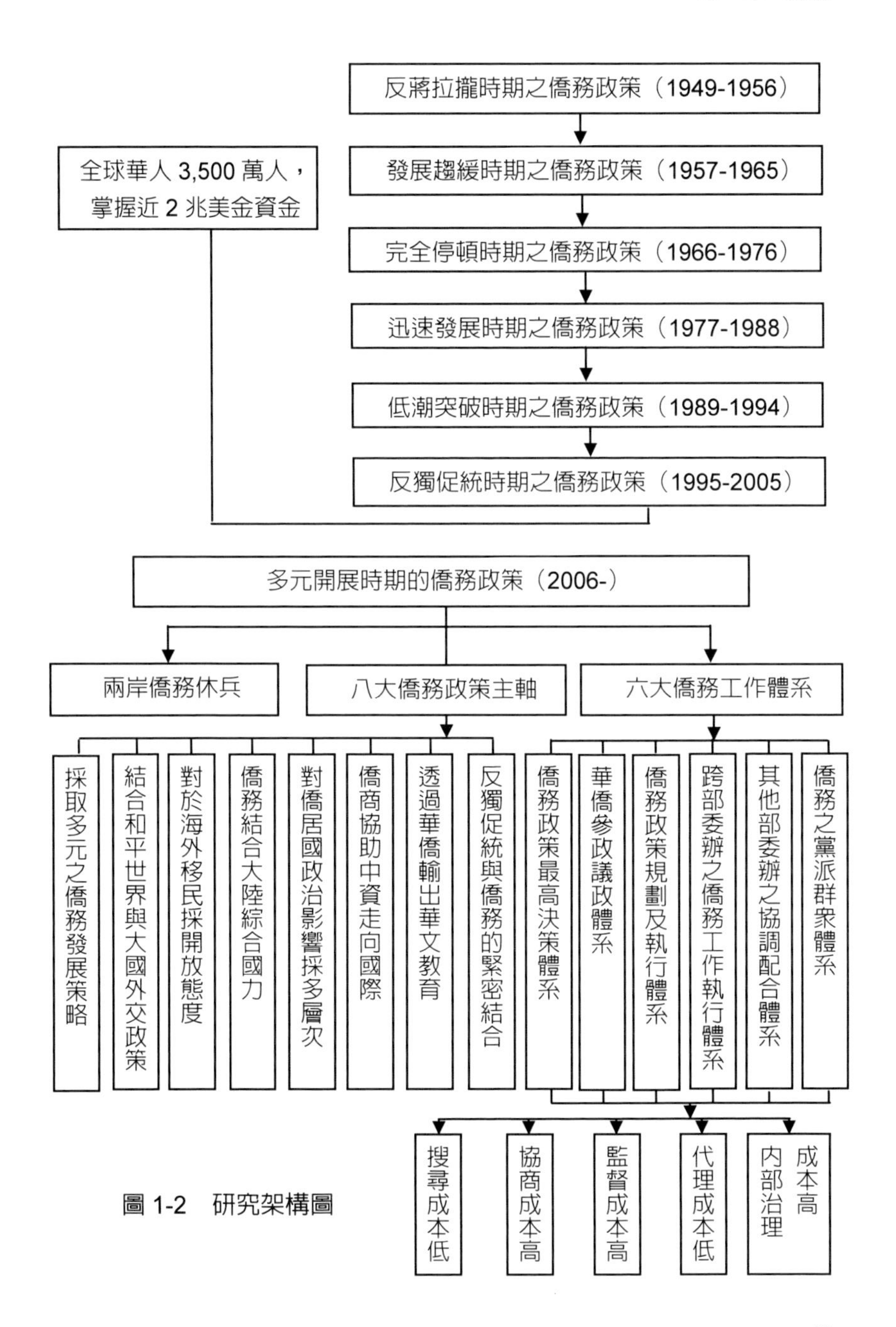
反蔣拉攏時期之僑務政策（1949-1956）
發展趨緩時期之僑務政策（1957-1965）
完全停頓時期之僑務政策（1966-1976）
迅速發展時期之僑務政策（1977-1988）
低潮突破時期之僑務政策（1989-1994）
反獨促統時期之僑務政策（1995-2005）
全球華人 3,500 萬人，掌握近 2 兆美金資金
多元開展時期的僑務政策（2006-）
兩岸僑務休兵
八大僑務政策主軸
六大僑務工作體系
採取多元之僑務發展策略
結合和平世界與大國外交政策
對於海外移民採開放態度
僑務結合大陸綜合國力
對僑居國政治影響採多層次
僑商協助中資走向國際
透過華僑輸出華文教育
反獨促統與僑務的緊密結合
僑務政策最高決策體系
華僑參政議政體系
僑務政策規劃及執行體系
跨部委辦之僑務工作執行體系
其他部委辦之協調配合體系
僑務之黨派群衆體系
搜尋成本低
協商成本高
監督成本高
代理成本低
內部治理成本高

圖 1-2 研究架構圖

和國關於雙重國籍問題的條約」，[33]宣布大陸政府不承認雙重國籍。至此之後，大陸遂將海外僑胞分成華僑、華人與華裔三類。所謂華僑是定居在國外的中國公民，其尚未自願加入或取得外國籍（包括其後裔）；華人是指定居在國外具中國血統但不具中國國籍的人；而華裔是指華人之後裔。[34]由此可見，由於一時政治的需求，大陸刻意縮減了民國以來對於華僑寬鬆的界定。但此一「自絕」於華僑的作為，也帶來大陸僑務工作的困擾，特別是台灣長期以來對於雙重國籍是採取寬鬆的態度，[35]藉此來爭取華僑的支持。因此改革開放之後，由於大陸所定義的「華僑」為數甚少，為了增加僑務工作的靈活度，廖承志在 1978 年擔任國僑辦主任時就指出，「雖然不把外籍華人視為華僑，但也絕不會把外籍華人當作普通外國人看待，因為他們與我國有著千絲萬縷的聯繫」。[36]而在實務之僑務工作上，大陸又常把華僑、華人與華裔混為一談，如此政策與實務工作上的分歧混亂實有加以瞭解與釐清之必要，因為這牽涉到僑務政策的「定調」與「原則」問題。特別在當前胡錦濤時期的僑務工作策略，隨著主客觀環境的改變而與過去有所不同，此一界定更具學術與實務上的意義。

另一方面，對於大陸內部來說，所謂「歸僑」是指返回大陸定居的華僑，大多是 1949 年中共建政之後返回者，其在法律地位上已是中國大陸公民；而所謂「僑眷」，則是指華僑與歸僑在大陸境內的眷屬。[37]

---

[33] 唐慧，**印度尼西亞歷屆政府華僑華人政策的形成與演變**，頁 106。

[34] 曾少聰，**漂泊與根植：當代東南亞華人族群關係研究**，頁 5。

[35] 我國之「國籍法」是採取雙重國籍政策，無論是否取得他國國籍，凡是居住在海外的中華民國國民均可稱之為華僑。

[36] 賈海濤、石滄金，**海外印度人與海外華人國際影響力比較研究**，頁 182。

[37] 田雛鳳，「江澤民僑務思維及政策之研究」，頁 16-17。方金英，**東南亞華人問題的形成與發展**，頁 5。

基本上，本研究對於相關名詞的定義，與大陸政府以國籍取得與否來加以界定有所不同，而是從華僑的出身地、移居年代與政治立場來區別，請參考表 1-5 並分述如下：

一、老華僑與新華僑

誠如前述，由於華僑的概念至今仍然相當模糊，因此本文所界定的華僑有兩層意義，一是指在 1949 年中共建政之前從中國大陸前往海外移民的華人，其甚至可以追溯至明、清時期的移民，本文將其稱之為「老華僑」；另一是指 1949 年中共建政之後從台灣、香港、澳門前往海外移民的華人，他們在政治立場上可能支持中共政權也可能支持台灣的國民黨政府，雖不一定都支持兩岸立即統一，但都反對台灣獨立，也多數承認自己是中國人，本文將其稱之為「新華僑」。

表 1-5　本書華僑定義之分類表

<table>
<tr><th colspan="2"></th><th>反對台獨</th><th>贊同台獨</th></tr>
<tr><td rowspan="2">從大陸移往海外</td><td>1949 年之前</td><td>老華僑</td><td rowspan="2"></td></tr>
<tr><td>1949 年之後</td><td>陸僑</td></tr>
<tr><td colspan="2">從台灣移往海外</td><td>新華僑</td><td>台僑</td></tr>
</table>

資料來源：筆者自行整理

二、台僑

所謂「台僑」，是指從台灣移民至海外的僑胞，他們在省籍上多數為閩南人而非所謂外省人，語言習慣使用閩南語，政治立場上支持民進黨而反對國民黨，甚至是支持台灣獨立。因此對於台灣來說，華僑常被稱之為所謂「老僑」，台僑則被稱之為「新僑」。此外，許多地區的台僑逐漸從華僑社團中獨立出來另立門戶，例如美國紐約有親台偏藍的華僑組織「中華公所」，但也有親台偏綠的台僑組織「台灣會館」。[38]

三、陸僑與港僑

而所謂「陸僑」則是指 1949 年之後從中國大陸移往海外的華人，其中尤其以 1980 年代在改革開放之後因為政策放寬，大量移往海外尋找工作機會的移民，他們在政治立場上不一定支持中共政權，但卻反對台灣獨立。至於從香港地區移往海外的僑胞，特別是在 1997 年前後，許多香港民眾對回歸後的一國兩制沒有信心，而大量移往海外，本文則將其稱之為「港僑」

[38] 中華公所下轄聯成公所、安良工商會、協勝公會、洪門致公堂、中華總商會與寧陽會館等，請參考黃兆平，「廖港民積極走訪紐約僑團拜會台灣會館」，雅虎新聞網，2007 年 7 月 5 日，請參考 http://tw.news.yahoo.com/article/url/d/a/070705/5/gv7j.html。

第二章　研究途徑

1991 年 10 月 15 日，當瑞典皇家科學院宣布諾貝爾經濟學獎得主為美國經濟學家寇斯（Ronald H. Coase），交易成本（transcaction cost）的觀念才逐漸受到經濟學界的重視。寇斯在其師普南特（Arnold Plant）的薰陶之下，堅信「眼見為信」與「實事求是」的精神，一反過去「黑板經濟學」（blackboard economics）的數學化研究模式，促使經濟學能與人的行為切實接軌。本研究將透過交易成本理論探討中國大陸僑務組織與僑務政策的發展，此亦為本文之研究途徑。

第一節　交易成本理論的發展與影響

以下將分別針對交易成本的發展背景與理論內容、廠商的意義、降低交易成本的具體作為等四個部分進行探討。

壹、交易成本的發展背景

自從寇斯、諾斯（Douglass C. North）、布凱南（James M. Buchanan）與史蒂格勒（George J. Stigler）先後獲得諾貝爾經濟學獎後，不但「新制度經濟學」（New Institutional Economics）逐漸受到了世人的肯定，交易成本的觀念也從寇斯之後，成為經濟學界研究的主要課題之一，並且衍生出許多相關的理論。交易成本觀念產生的背景，可以說是對於一向被視為經濟學正宗的新古典主義（Neo-classical Economics）提出了不同的看法，對於過去強調「精密化」、「數學化」的研究方式，交易成本的相關學者則認為經濟學不應只是冰冷的數字，應該更著墨於人、人在經濟活動中之行為方式與規則，以及這些行為規則對於經濟的影響，如此才能使得經濟學和人們的距離日益接近，寇斯就曾指出「當代制度經濟學應該從人的實際出發來研究人」，「新制度經濟學的目標是研究制度演進背景下，人們如何在現實世界中作出決定，和這些決定又如何改變世界」。[1]

基本上，寇斯並非是提出交易理念的第一人，在康芒斯（John R. Commons）所著的「制度經濟學」一書中，他認為人類的經濟活動中可以區分為「生產活動」與「交易活動」兩大類；而在交易活動中可以區分為三種，第一種是「買賣的交易」，即是平等人們之間的交換關係；第二種是「管理的交易」，是上下級之間的交換；第三種則是「限額的交易」，是政府與個人間的經濟關係。這三種交易活動的觀念，對於日後交易成本的觀念發展，占有相當舉足輕重的角色。

在寇斯提出了交易成本觀念的同時，他也作出了相當的假設以支持其論點，首先，他假設如果經濟活動中不存在著交易成本，那麼任何制度都是多餘的，也就是說在現實的世界中，交易一定是會有成本的；其次，也就是因為有交易成本的存在，許多的交易才無法達成；而即使是達成了交易也往往耗費了太多的資源，而造成效率不高；最後寇斯假設認為，人們為了使有限的資源獲致最高的配置，便會不斷的尋找減少交易成本的方法。就在寇斯的假設架構

---

[1] 王耀生，**新制度主義**（台北：揚智出版公司，1997 年），頁 3。

下，不但使得交易成本的理論產生了基礎，也成為其他研究交易成本的學者認同的基調。

貳、交易成本的理論內容

在寇斯的眾多著作中，以「廠商的本質」（The Nature of the Firm）與「社會成本的問題」（The problem of Social Cost）這兩篇文章，對於交易成本的觀念有深入的探討，以下僅就交易成本理論的意義、產生原因、種類與價值進行探討。

一、交易成本的意義

一般經濟學中所謂的成本（cost）除了特別聲明外，多指在生產過程中所使用的資源，即「機會成本」（opportunity cost）。[2]一個物品用在某特定用途的機會成本，就是指「放棄其他用途中的價值最高者」（the value of the best alternative），包括新制度經濟學家布凱南也同樣認為機會成本是「行為人在許多可供選擇的機會中，選擇其中一個，所放棄其他機會能夠獲得的最大效用」。[3]機會成本亦稱為「經濟成本」（economic costs），其中包括有外顯成本（explicit cost）與隱藏成本（implicit cost），前者是指廠商實際給予個人或其他廠商的工資、地租與利息等；後者則是指廠商投入自己所擁有的資源，或許並沒有實際給予什麼財貨，但卻因為該資源原本可以用

---

[2] 張清溪、許嘉棟、劉鶯釧、吳聰敏，**經濟學理論與實際上冊**（台北：翰蘆出版公司，1995 年），頁 155-156。

[3] 布凱南認為成本有四點特質，首先，成本必然是由個人來承擔，不能委由他人；其次成本是主觀的，只有行為人自己最清楚；成本一定是事前的概念，並會影響他的選擇；最後，成本是不會回復的，放棄的機會不會再回來。

在其他更有利的地方，但目前卻使用在此處所造成的犧牲，包括廠商所投入的人力、土地與資金等的市場使用價值，以及在經營中所面對的虧損等。

（一）交易成本之定義

第一位明確定義交易成本的主流經濟學家是阿羅（Kenneth J. Arrow），在 1969 年他定義為是「經濟系統所費的全部成本」，[4]然而此一說法相當粗糙，既沒有說明何為經濟系統也沒有對成本的內容加以說明。而當寇斯進一步提出了交易成本的觀念後，使得交易成本的內涵更為具體與豐富。寇斯認為交易成本是「為了進行一項市場交易，人們必須尋找他願意與之進行交易的對象；告知交易的對象與之進行交易的意願以及交易的條件；與之議價並敲定價格；簽訂契約；進行必要的檢驗以確定對方是否遵守契約上的規定等等」。[5]馬修斯（R. C. O. Matthews）則認為交易成本應該包括事前準備契約、事後監督與強制契約執行的三種成本，此與生產成本不同，是履行一個契約的成本。[6]因此總括來說，所謂交易成本就是個人在市場上進行交換或交易行為時，所產生的許多費用，以及所耗費的時間與心力，其最主要的目的在於預防交易過中所可能產生的風險。

對於寇斯交易成本的定義，張五常曾經將其作出了更清晰的定義：「大體而言，交易成本是制度成本所形成的光譜（spetrum），

---

4 汪丁丁，「交易費用與博奕均衡」，盛洪主編，**中國經濟學 1995**（上海：人民出版社，1996 年），頁 54-80。

5 Ronald H. Coase, "The Nature of the Firm", *Economica,* Vol .43(November 1937), pp.386-405。

6 R. C. O. Matthews, "The Economics of Institutions and the Sources of Growth", *Economic Journal*, Vol.12 (December 1986), pp.902-910.

包含了訊息傳遞、談判過程、契約的起草與擬定、確定契約內容、產權移轉、簽訂契約後的監控行為，以及制度重整的變動成本等項」，並非是所謂實際生產過程、生產行為等生產成本的概念。[7]因此我們可以說，在人類的經濟活動中存在著兩種型態的成本，一種是有關於「物」的成本，也就是生產成本；另外一種則是有關於「人」的成本，就是交易成本。此外，樊綱更直接了當的指出，交易成本理論的發展就是在防止「扯皮」，避免對方不說實話、坑蒙拐騙與損人利己罷了。

（二）交易成本與機會成本

至於交易成本與機會成本的關係，可以從正反兩種角度來加以分析。寇斯認為交易成本與邊際成本是不同的概念；不過，也有學者認為交易成本與邊際成本的概念並非處在一個絕對矛盾的狀況中，因為當面對一個交易的機會時，我們不但可以選擇是否要進行交易，更可以選擇以何種方式來進行交易，這種比較各種交易方式的機會成本就可以說是交易成本，[8]香港學者汪丁丁就認為「交易成本是在一群利益不一致的人們中間，組織勞動分工所花費的機會成本」，在他眼中交易成本就代表著不確定性，任何交易成本必涉及兩人以上的行為，必定是博奕行為。[9]從這個角度來看，交易成本就可以說是各種交易方式的機會成本了。至於達哈曼（Cral J. Dahlman）甚至是將交易成本視同為機會成本，他直截了當的指

7　轉引自張順教，「廠商理論的演變概述」，**經濟前瞻**，第 32 號（1993 年 10 月），頁 130-132。

8　蕭丁偉，「契約選擇與交易成本-引證自台灣清朝宜蘭的水利契約」，國立清華大學經濟學研究所碩士論文（1993 年），頁 25。

9　汪丁丁，「交易費用與博奕均衡」，盛洪主編，**中國經濟學** 1995，頁 54-80。

陳：「交易成本與經濟理論中的其他理論一樣是一種機會成本」，[10] 這種說法當然是更進一步將兩種成本的觀念予以結合了。

二、交易成本的產生原因

在探討交易成本的內容之前，我們首先必須先瞭解一下為什麼會產生交易成本。

（一）專業化與分工化所造成非人情交易的增加

諾斯認為，交易可以區分為個人之間的「人情交易」（personalized exchange）與「非人情交易」兩種，前者相較於後者而言，其買賣的行為是同時同地發生的，參加交易的人很少，買賣雙方有完整的訊息，專業性低，市場範圍很小，交易過程相當簡單，因此它的生產成本可能很高，但是交易成本卻不高。不過，隨著交易專業化與分工化的急遽發展，買賣之間是可以跨越時間與空間的，參加交易的人不但增加而且複雜，獲得完整訊息的機會越來越低，市場範圍不但擴大更可能是跨國性的。所以，專業化與分工化所帶來生產成本的降低，是無可否認的，但是隨之而來的投機性行為，諸如詐欺、違約與欺騙等，使得買賣雙方必須要有許多防範的措施，這些措施所產生的交易成本有時甚至是超過所減少的生產成本。因此，分工與專業化固然降低了生產成本卻反而增加了交易成本，當交易成本大到一定程度時，甚至會限制到分工與專業化的發展。[11]

---

[10] Cral J. Dahlman, "The Problem of Externality", *Journal of Legal Studies*, Vol.1 (1979), pp.903-910.

[11] 諾斯（Douglass C. North）著，劉瑞華譯，**制度、制度變遷與經濟成就**（台

威廉姆斯（Oliver E. Williamson）更進一步的指出，交易成本的大小是受到「市場環境特點」與「人的特點」所影響，當市場的不確定性越高，潛在的交易對手越多，則交易成本就越高。而當人的機會主義（opportunism）與有限理性（bounded rationality）越強烈的時候，交易成本也將會越高。[12]因而諾斯才會認為，原始社會的「人情交易」模式，在密切互動的社會網路中，彼此若能信守契約，其所造成的利益必大於成本，其交易成本是相當低的。總的來說，交易成本之所以會發生，絕對是因為處在一個「多人的社會」，而其根本性前提是歸因於人們利益上的分歧。

（二）防範專業化與分工化弊端之措施

為了防止專業化與分工化所造成之弊端，因此必須採取防範作為，這也會衍生出交易成本。首先，由於市價難定，「發現價格的成本」便成為交易成本中的中心議題，也就是說由於市場的透明程度相當低，造成參與契約的人掌握著不同的相互行為訊息，因而造成了「信息的不對稱性」，這也才有了交易成本的出現。所以樊綱曾經說：「交易成本其實很大一部分甚至主要一部分就是因為信息不完全，需要獲取更多的信息而造成的」。[13]

北：遠流出版公司，1995 年），頁 37。

[12] 所謂機會主義，依據 Williamson 的說法是指追求自身之利益，並且將此一追求擴展到施用詭計來實踐，也就是說當有新機會出現時，將使契約的一方對另一方於締約時的承諾不再相信。而樊綱也認為所謂機會成本，是用虛假或空洞的威脅或承諾，來牟取個人利益的行為。也就是說用掩蓋信息與提供虛假信息的損人利己行為。Oliver E. Williamson,"Transaction-Cost Economics: The Governance of Contractual Relations", *The Journal of Law and Economics*, Vol.22, No.2 (October 1979), pp.233-261.

[13] 樊綱，**市場機制與經濟效率**（台北：遠流出版社，1993 年），頁 117。

三、交易成本的種類

根據新制度主義學者對於交易成本的不同看法，本文將其綜整後認為包括有下列六大類：

（一）搜尋的成本（searching cost）

在現實的社會中，信息一般是不完全的，而完全的信息則不是免費的，獲得信息是要成本的，因此「信息的不完整」與「搜尋信息成本」是互為因果的關係。不論是交易行為中的那一方，為了能夠使自己的利潤獲致最大化（profit maximization），勢必希望能獲得商品價格、品質與數量等相關資訊，或者是去發現所欲交易的對象，這種在簽訂契約時對於未來的或有事件（contingencies）的無法預知，而必須積極獲得資訊的過程中，不可避免的會耗費掉許多時間、人力、物力與金錢，如此便成為交易行為中的成本之一。諾斯也認為，隨著「非個人性的交易」日益重要，交易活動越來越複雜，為了防止詐欺違約等現象的發生，交易者必須花費大量時間與精力尋找資訊與交易對象，也就是要去衡量物品與勞務之有價值特性與工作表現的成本。[14]在過去資訊傳遞並不發達的時代，藉由耳語之間的傳播來獲得相關的訊息；藉由直接打入對方陣營或從對方陣營拉出的手段來刺探消息，都是相當耗費成本的作為。即使是今天大眾傳播媒體是如此的普遍快速；電腦網路是如此的無遠弗界，攸關交易結果的商業機密，仍然是每一位交易者所亟欲獲得，但也

[14] 諾斯（Douglass C. North）著，劉瑞華譯，**制度、制度變遷與經濟成就**，頁 41。

是最難獲致與花費成本最高的，例如在勞務市場中，雇主對於受雇人的能力測試與背景調查；在資本市場上，投資者對股票上市公司的營業狀況瞭解；在信貸市場上，貸方對於借方的信用調查等，似乎就證明了商業訊息的重要性。由此可知，目前跨國性企業集團之情報部門的龐大組織，似乎就更證明了搜尋成本的存在並非是無的放矢。

（二）協商的成本（negotiating cost）

在各項交易的過程中，買賣雙方有太多的事情必須進行溝通與協商，為了異中求同，為了避免衝突，協商是絕對避免不了的。不過在這些協商與談判的過程中，卻是要耗費相當多的成本，談判的過程中因為彼此立場的迴異往往曠日廢時，並且必須耗費大量人力、物力、財力與時間去準備資料及參與談判，甚至隨著交易對象的多元化，雙邊協商、三邊協商甚至是多邊協商都有機會；隨著交易內容的複雜化，一次協商成功幾乎不可能存在，這些協商的過程都成為相當重要的交易成本。甚至隨著廠商科層體制與組織的不斷擴張，交易過程中廠商內部部門間的協商，也逐漸成為協商成本中的重要部分。今天的企業界與政府對於談判專業性的肯定，花費鉅資培育談判人才與設立公關部門，都能證明協商的重要性與協商成本的存在。我們可以發現，當產權越明晰，風險的透明度越高，則協商成功的可能性越高，消耗的成本也就越少；當參與協商的人數較少且較為集中，則彼此訊息的交流較為容易，自然成本較低。另外，在協商的過程中，各方均在不斷的評估對方的風險與可能的讓步範圍，這種估算的錯誤與否不但攸關著協商的成敗，更必須耗費相當的成本，當估計的變數越複雜則此一對策成本也就越明顯。

（三）監督的成本與考核的成本
（monitoring cost and measurement cost）

在交易的過程中，買方要監督賣方能夠如期的交貨，而賣方則必須防範買方無法如期悉數的交付貨款。[15]彼此在爾虞我詐的心態下，為了避免自身的損失，也必須花費相當的資源去進行監督工作，以便去觀察對方的營運狀況與行事作為。誠如威廉姆斯所言「儘管所有的相關細節都在契約中界定，但契約仍然存在著永遠不被兌現的嚴重危險，……被機會主義行為欺騙的例子不少，並且常常使人陷入了耗費金錢與時間的訴訟中。」，[16]克萊（Benjamin Klein）也認為「毫無成本的執行契約是不可能的……在大多數的現實世界的交易中，人們關心的是違約的可能性」，[17]這種防止參與談判團體欺騙的成本，便是監督成本。在目前詭譎複雜的交易環境中，為了自己本身的利益，也為了防止對方因為機會主義而不履行契約，徵信已經成為不可或缺的交易行為，專業的徵信部門與徵信機構的一一成立，就是最好的證明。我們可以發現，當違反契約的行為越容易觀察時，監督的成本便隨之降低。

而在監督的過程中，買賣雙方都可能必須對交易的東西進行「屬性、特質」（attribute）的考核，賣方希望藉此維繫其聲譽，因為信譽往往也是降低交易成本的重要因素；而買方也必須藉此來維護自

[15] 吳惠林，「法律經濟學的先驅──1991 年諾貝爾經濟學獎得主寇斯教授」，**律師通訊**，1991 年 12 月號（1991 年 12 月），頁 25-28。

[16] Oliver E. Williamson, *Markets and Hierarchy: Analysis and Antitrust Implications* (New York: Free Press, 1975), p.26.

[17] Benjamin Klein, "Transaction Cost Determinants of Unfair Contractual Arrangements", *The American Economic Review*, Vol.70, No.2 (May 1980), pp.356-362.

身利益，以使損失減少至最低程度。在這些考核中，有些十分容易有些卻相當困難。考核商品的品質是交易過程中相當普遍的現象，並且往往耗費掉許多可觀的成本，否則倘若產品的信息是無成本的，而商品品質的水準與缺點能在交換時就可毫不費力的加以識別，則所謂產品品質的保證就沒有必要了。在考核成本中我們發現，考核產品的數量越少則其成本越高，評估的精確性要求越高則成本亦隨之提升；而且當考核出現錯誤的時候，常使人們以資源成本的形式將財富轉移出去，造成成本的更加損耗。[18]因此，巴澤雷（Yoram Barzel）提出了「縱向一體化」（vertical integration）可以減少一部分考核成本的概念，他認為藉由整體性與縱向性的考核，可以使成本平均的加以分擔，進而達到降低成本的目的。而寇斯則認為藉由「代理人」（agent）來進行考核，也可以大量的減少相關成本的耗費。[19]

然而，就目前而言監督成本的意涵已經逐漸擴展至各內部組織中的主從關係，不論是企業主與員工，還是政府與公務員間，也都是一種契約與買賣的關係，企業主或政府提供薪資與利益，與其員工進行勞務付出的交易，在此架構下企業主必須加以監督與考核，因此阿爾欽（Armen A. Alchian）與德姆賽茲（Harold Demsetz）就在其文章中指出：「減低偷懶的一種方式是，由某人專門成為監督者來檢查組員（team members）的投入績效」，[20]這無形中也就產生了相當的監督與考核成本。而他們兩位也同時認為，當這種監督與管理成本越低時，內部組織資源的優勢就相對提高。

---

[18] Yoram Barzel, “Measurement Cost and The Organization of Markets”, *The Journal of Law and Economics,* Vol.25(April 1982), pp.27-48.

[19] Steven N. S. Cheung, “The Contractual Nature of The Firm”, *The Journal of Law and Economics,* Vol.26, No.1(April 1983), pp.1-22.

[20] Armen A. Alchian and Harold Demsetz,“Production,Information Costs, and Economic Organization”, *The American Economic Review*, Vol.62(December 1972), pp.777-795.

（四）締約的成本（concluding cost）

基本上而言，契約的出現就是為了節省搜尋與等待的交易成本，因此張五常認為，契約安排的選擇是為了在交易成本的約束下，使風險得以分散並且從中獲取收益的最大化。[21]所以，買賣合約的簽訂是絕對必要的，因為那可以清楚確定買賣雙方的權利與義務。每一筆交易都必須議價並且簽訂契約，為了保障承諾，為了防止對方的不履行契約，所以產生了合約合法化過程的成本。在簽訂契約的過程中，在「自利」的前提下，勢必要花費相當多的成本去研究契約的條文與內容，去爭取自身更大的利益。當前各企業之所以有法務部門的成立，以及對於法務人員、法律顧問的需求，就可以證明契約成本是存在的。在契約的種類中我們常加以區分為長期契約與短期契約，寇斯認為買賣雙方若訂定一紙長期契約往往較訂定一連串的短期契約來得有利，因為短期契約終止與再談判的過程總是耗費相當的成本。但是倘若長期契約的時間拉得太長，不確定性便隨之增加；而買賣雙方對於風險的看法也時常不同，加上契約的規定內容可能只著墨於較重要的部分，或只能使用概括性條款作粗略性的規定，至於相關細節則視實際狀況再行決定，上述種種都使得長期契約訂定的成本相較於短期契約而言，可說是有過之而無不及，此即寇斯所謂的「長期契約訂定的成本」。而克萊、克羅夫（Robert G. Crawford）與阿爾欽也同時認為，明確的長期契約或許能夠解決機會主義的問題，但是隨之而來的意外與控制成本、訴訟與調查的成本卻相當可觀。並且我們也發

---

[21] Steven N. S. Cheung, *The Theory of Share Tenancy* (Chicago: The University of Chicago, 1969), p.64.

現到當市場的不確定性越大與所牽涉的問題越複雜時，交易的雙方多會避免長期契約，一方面增加靈活性，另方面則可減少交易成本。

或許長期契約與短期契約各有其優劣之處，並不可一概而論，然威廉姆斯所提出的締約成本看法，似乎可作為前面討論的結論，他認為：[22]

1. 當市場的不確定性與有限理性相結合時，會增加長期契約的締約成本。
2. 當面對少數人間的討價還價問題與機會主義相結合時，將造成短期契約的締約成本增加。

而克萊、克羅夫與阿爾欽也認為，可行之道是採用一種透過市場機制而非透過法律機制的「長期默認型契約」（implicit type of long-term contract），也就是以「信譽」（goodwill）為主軸的市場機制。他們相信這種非正式與不涉及法律的契約形式，相較於法律之明確制裁而言，更具有支配性的地位。[23]

另一方面，威廉姆斯也將交易成本區分為「事前的交易成本」與「解決契約問題的交易成本」。就前者而言，是指為了簽訂契約，規定交易雙方的權利與義務所花費的費用，這和締約成本之意義相似；而後者則是指簽訂契約之後，為了解決經濟本身所存在之問題而花費的成本，例如改變條款、修改條款與協議，甚至是退出交易活動的成本等。[24]

---

22 張軍，**現代產權經濟學**（上海：三聯書店，1990 年），頁 12。

23 Benjamin Klein,Robert G. Crawford and Armen A. Alchian, “Vertical Integration, Appropriable Rents, and The Competitive Contracting Process”, *The Journal of Law and Economics*, Vol.2 (October 1978),pp.297-326.

24 王耀生，**新制度主義**，頁 20

（五）代理成本（agency cost）

在交易成本的理論中，企業家實質上是代表著一組契約關係，這些契約規定了企業內部每個成員的權利分配，有許多工作是企業家自己本身可能因為主客觀因素而無法親自實行，必須藉由代理人來加以代替執行，這種觀點是由傑森與麥克林（Michael C.Jensen and William H.Meckling）所首次提出。[25]在這代理的關係中，以由國家來擔任委託人（principal）的角色最為明顯。在委託人賦予代理人若干權力的前提下，國家透過政治程序任命代理人來行使資產的支配、使用與收益權，於是此種代理關係正式建立，代理人在正式或非正式契約的制約下代表著委託人利益，並且因此而獲致若干報酬。然而在這種代理過程中，不論是契約的訂定、彼此的協商或是衝突的解決，都必須耗費掉相當的成本。

（六）內部控制成本（internal goverance costs）

當一個團體共同分享資源的所有權時，對於可變與個人擁有投入之過度利用，將會造成共有資源的耗失，雖然可以藉由集體行為的約束而使其減少，但是所進行的度量工作卻必須耗費相當的成本，也就是在判斷對於資源過度使用而進行限制時，所必須要支付的人力、物力與財力，這可能包括了相關訊息的收集與專門管制機構的成立，所以內部控制成本也有學者稱之為「管制的成本」。此一說法是費爾德（Barry C. Field）於 1986 年針對排他性權利議題的探

---

[25] Michael C. Jensen and William H. Meckling,"Theory of the Firm: Managerial Behavior, Agency Costs and Ownership Structure", *Journal of Financial Economy*, Vol.3(1976), pp.305-360.

討上所發展出來的（關於排他性產權將於稍後再行敘述），[26]當排他性權利越分散時，該成本就越增加；當該團體的同質性越強或者具有相同的意識型態，則該成本便會下降，並且有利於該團體的內部正式決策程序之改進。[27]而當內部控制成本降低時，在新的均衡條件下，團體的數量會減少，但是規模會擴大。最明顯的例子便是政府機關對於民間企業的管制作為，由於為了使共有資源得以公平分配，政府必須採取若干控制措施，但因為信息永遠不及相關企業來得充分與真實，往往造成「信息不完全」的現象，為了克服此一盲點便需耗費相當的成本來進行搜尋與成立各種幫助控制的相關機構。

四、交易成本存在的價值

我們可以發現，在寇斯的著作中，所分析的往往是一個沒有交易成本的世界，他曾認為在沒有交易成本的世界中，廠商就沒有經濟的理由存在；沒有交易成本，法律如何訂定是無關緊要的，資源的配置也不會受到影響，因為人們可以不花成本的去取得、分割與結合權利，以提高產品價值；沒有交易成本，私人成本就會等於社會成本；沒有交易成本時，交易的雙方會進行協議而使得財富擴至極大；交易成本為零時，生產者可以安排各式各樣的契約，以使得產值達到最大。但是就事實上而言，在這個世界上是根本不可能出現完全沒有交易成本的狀況，誠如史蒂格勒所言，「沒有交易成本的世界，就像沒有摩擦力的物理世界一樣的奇怪」，[28]因此，寇斯

---

[26] 相關敘述請參閱 Barry C. Field,*Induced Change in Property Rights Institutions* (Amherst:University of Massachusetts, 1986), p.22.

[27] Thrainn Eggertsson, *Economic Behavior and Institutions* (Cambridge: Cambridge University, 1990), p.258.

[28] George J. Stigler, "The Law and Economics of Public Policy: A Plea to the Scholars", *The Journal of Legal Studies,* Vol.1, No.1 (January 1972), pp.1-12.

也認為他的目的並不在於描述交易成本為零的世界為何，更對於許多人稱交易成本為零的世界稱為「寇斯的世界」（Coasian world）大表不滿，他反而批評所謂現代經濟理論的世界，才是交易成本為零的世界。他之所以提出交易成本為零的假設，只是認為如此的分析架構較為簡單，其真正的用意是要指出交易成本在構成經濟體系之組織形成過程中，所扮演與應該扮演的角色為何，也就是藉由反證的方式，提醒世人在分析現實世界時必須要正視交易成本的存在，以摒棄目前大多數經濟學家所採用的分析方式。

就事實而言，交易成本的確是存在於我們所處的這個世界當中，其對於經濟上的影響也似乎遠遠超乎我們的想像之外，諾斯就曾經指出，提供交易服務所耗費掉的交易成本約占美國 1970 年 GNP 的 50%，遠超過 1870 年時的 25%；[29]張五常也同樣認為交易成本約占香港國民生產總值的 80%左右，由此可見交易成本存在所代表的重要意義。

參、廠商出現的意義

在當代經濟學理論上稱生產者（production）為「廠商」（firms），廠商是生產行為的決策者，一個將投入轉換為產出的組織，相對於生產要素（factors of production）而言是一個決策單位，它往往決定了生產什麼、如何生產與生產多少。[30]

---

[29] 諾斯曾經指出，提供交易服務的部門包括有商業、金融、保險、房地產業等的私人部門，另外全部的政府部門也在內，包含立法、司法與行政機構，這些機構所耗費掉資源的變化，就可以證明該社會交易成本的損失情形。

[30] 就個體經經學的觀點而言，凡是不涉及公司決策的職員與工廠工人，不算是生產者，他們不過是提供勞務的勞動者，和勞動、土地與自然資源、資本與生產工具、企業才能等都是屬於相同地位的生產要素。

就一般人而言，其實只要直接在市場上藉由價格機能來相互交易就可以了，因為市場這個組織之所以會存在，其目的便在於方便交易者進行交易，也就是希望能藉此降低交易成本，但是為什麼勞工卻要自願的受到企業家與代理人的指揮，而不願在市場上直接銷售其產品或勞務給顧客呢？這正是廠商存在的價值。

一、廠商出現的原因

寇斯認為廠商之所以會出現，會取代價格機能的功能，有幾項相當重要的原因：

（一）減少交易成本

因為人與人間藉由價格機能的交換行為，其所產生的成本必遠遠大於廠商之間的交換，個人的生產者除了要擔負前面所述之發現價格的成本外，可能還必須要負擔「運輸成本」、「包裝成本」與「庫存成本」，再加上市價的難以訂定，這些成本若藉由廠商的一貫作業方式，必然可以獲致大量的節省。在這眾多的交易成本中，寇斯特別指出廠商之存在對於搜尋與締約成本上的減少效果，也可以結合力量以減少個人搜尋訊息的成本，並且能降低契約簽訂的數量，以避免與內部的其他生產要素簽訂一連串的契約。[31]

從圖 2-1 中的圖 A 我們可以發現，在市場交易中的四個交易者間至少存在著六條訊息管道，而圖 B 則表示在進行同樣交易時，廠商的訊息管道只有三條，這表示廠商的確可以大幅減少搜尋訊息

---

[31] 針對廠商可以減少契約的效果，因此寇斯說：「他們可以選擇共組廠商而放棄商業契約」。

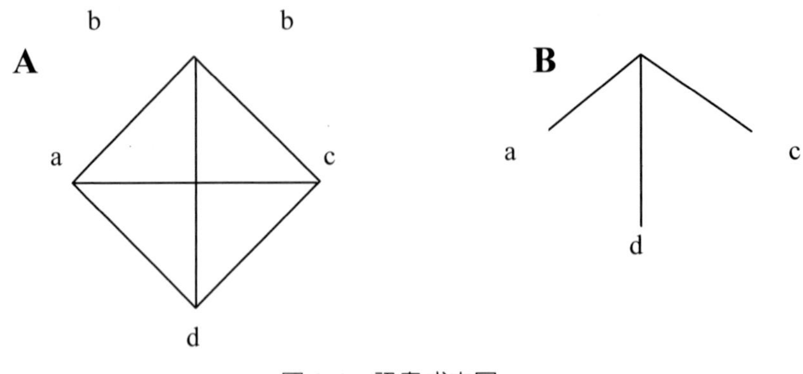

圖 2-1　訊息成本圖

資料來源：張軍，**現代產權經濟學**（上海：三聯書店，1990 年），頁 17。

的成本，尤其當市場的不確定性增加與訊息的取得困難時，廠商的優越性便更為突出。

因此，當這些交易活動中，在廠商內部所進行的成本小於在市場上進行交易時，廠商很自然就會出現，而原本經由市場所進行的交易，也改由廠商來安排。此外，藉由廠商中的經理或監督者來指導（direct）資源運用與組織生產，可以免除多種市價的決定，因此藉由個人間的組織也就出現了廠商，無怪乎寇斯說：「廠商的最主要特色，就在取代價格機能」。[32]

（二）減少長期契約的風險

寇斯一方面認為長期契約較為有利，另一方面又認為長期契約會帶來交易成本的增加。由於長期契約對於細節部分無法鉅細靡遺

[32] Ronald H. Coase, "*The Nature of the Firm* ", pp.386-405。

的規定，所規定的往往只是供應者所必須負責的範圍，對於供應者的工作細節則必須由購買者以後再行決定，這就產生了一種寇斯所稱的「廠商」關係，藉由廠商來減少這種長期契約簽訂後所可能帶來的種種風險與不確定性。因此，寇斯認為如果沒有不確定性的話，廠商也就不會出現。

（三）政府管制的差別待遇

政府以及有管制權的機構對於「市場性交易」（exchange transactions on a market）與「組織性交易」（transactions organized with in a firm）採取差別性的待遇，寇斯以政府徵收銷售稅為例，其中對於組織性交易採取較為減免與寬鬆的措施，因此減少稅捐負擔便成為廠商產生與廠商規模擴大的另外一項理由。此外，政府對於有關配額的政策，以及因為價格管制所產生的定量配給（rationing）措施，直接間接的都較有利於在廠商內部所進行的交易，而不利於透過市場所進行的交易。

（四）人的有限理性與機會主義

誠如前述，威廉姆斯認為交易成本理論的探討前提，就在於認定人是具有有限理性與機會主義的心態，而西蒙（Herbert Simon）認為「正因為每一個人的知識、觀察力、技能與時間都是有限的，所以組織就成了實現人類目的之有用手段」，[33]威廉姆斯接受了此一觀念，認為藉由廠商來組織經濟活動，以便在有限理性的基礎上達到最經濟，並且同時保障在爭議中之交易，免於受到機會主義與

[33] Herbert Simon, *Model of Man* (New York:John Wiley and Sons, 1957), p.119.

有限理性之害。因此廠商的出現也可說是藉由經濟的組織來彌補人性之諸多弱點，而使得彼此能夠截長補短。

總的來說，寇斯與威廉姆斯的這種「集中」觀點，藉由集中來降低交易成本並且形成規模經濟，[34]可以說是其「廠商理論」的精髓所在。交易的目的在於使買賣雙方互利，更多的交易就有更多的互利，而如何增加交易，就端視如何降低交易的成本。[35]因此我們可以說，基本上廠商就是一個多重與多個契約的組合體，其積極與主要之目的在於減少交易成本。此外，威廉姆斯認為廠商內部可以強制實施之控制手段，種類更多而且更有作用。[36]也就是說，廠商較市場而言具有行政上的權威，並能以較低的成本獲致不可或缺的資料，以便進行更為精確的自我績效評價，而且其激勵與處罰的辦法，包括成員的聘用、提升、酬勞與內部資源的配置都更為精細。威廉姆斯更指出，當發生衝突的時候，廠商具有比較有效的解決衝突機制。而張五常也認為，若說寇斯的觀點是要將廠商來取代市場，或是用要素市場來取代產品市場是不太對的，應該說是由一種契約模式（例如工資與租賃契約）取代了另一種的契約模式（即產品市場契約），[37]才比較能符合寇斯提出廠商此一概念的真正原意。

---

[34] 吳惠林，「寇斯的生平貢獻與其他」，**經濟前瞻**，第 25 號（1992 年 1 月），頁 125-130。

[35] 張清溪、許嘉棟、劉鶯釧、吳聰敏，**經濟學理論與實際下冊**，（台北：翰蘆出版公司，1995 年），頁 361。

[36] Oliver E. Williamson, "The Vertical Integration of Production: Market Failure Considerations", *The American Economic Revuew,* Vol.2 (May 1971), pp.112-123.

[37] 張五常，陳怡宜譯，「寇斯小傳」，**經濟前瞻**，第 25 號（1992 年 1 月），頁 132-134。

二、廠商範圍與規模的大小

對於廠商的範圍大小，除了需視交易成本內化後，廠商內協調機能的運作何者變得有效來加以決定外，寇斯認為廠商範圍之所以會擴大，是因為原本藉由價格機能之協助所進行的交易，現在改由企業家來處理，而一家廠商之所以會縮小，則是因為企業家放棄了一些原本是由他們負責處理的交易。但是我們是否可以完全否定市場存在的價值呢？寇斯是持否定的態度。基本上，廠商固然能夠降低相當的交易成本，不過市場的交易活動仍然存在，原因之一是當廠商的規模擴大後，企業家提供的職能所能獲得之報酬可能遞減，因為當企業內部多處理一筆交易時，其成本就可能增加；另一方面，當企業家的交易量增加後，也許不能將生產要素分配在最有價值的地方與進行最有效之利用。[38]至於威廉姆斯則認為，當在廠商內部組織追加的交易成本，超過了藉由市場進行同樣交易的成本時，廠商的規模便達到了極限。

至於廠商的企業規模，寇斯認為在下列的情況下將會變大：

(一) 當隨著該組織的交易量不斷增加而使成本上升的速度越慢時。

(二) 當企業家隨著所處理的交易量增加，其犯錯的次數增加越少時。

(三) 當企業的規模越大時，生產要素的供給價格下降之幅度越大時。

(四) 當降低了生產要素間的地區分布，使得生產要素間的距離縮短時。

---

[38] 寇斯（Ronald H. Coase）著，陳坤銘、李華夏譯，**廠商、市場與法律**（台北：遠流出版公司，1995 年），頁 53。

至於廠商規模擴大後所可能造成的影響，張五常認為首先將可能使得要素市場代替商品市場，其次是價格信號的分配作用消失而使得管理決策日形重要，最後則將更加普遍利用代用品來實施度量工作。[39]然而，寇斯並非認為廠商的規模是越大越好，廠商規模擴大必須是在降低交易成本的前提下進行的，也就是說廠商規模應該是決定於廠商內交易的邊際成本，等於市場交易邊際成本的這個基礎點上。但是當廠商規模擴大的同時，隨之而來的卻是效率逐漸降低，寇斯認為其主要的原因就在於因為隨著交易量的擴大化，交易的內容與方式會產生不同的性質，並且會分布在不同的地區，當前許多大型企業的跨國性經營便是一例。雖然，隨著通訊設施日新月異，隨著管理技術的不斷創新，可以降低許多不同地區組織相互結合的成本，但是寇斯認為，藉由廠商間的「結合」（combination）與「合併」（integration）兩種方法來進行擴張，或者選擇其一，則所謂「競爭產業的結構」就會出現，也將增加更多的效率。40此外，隨著廠商規模擴大的另一個問題便是管理成本的居高不下，也就是對於勞動的監督成本。當廠商規模越大，層級越多，上級對於下級的監督就越困難，為了避免因偷懶所造成損失便要增加更多的管理人員與設備，造成監督與考核成本的增加。基本上，對於所謂「廠商的最適規模」，寇斯覺得並沒有真正一體適用的標準，不同的產業類型會發展出不同的最適規模，如何將不同的活動與職能在廠商間進行最適分配才是最重要的。其次，與其探討廠商的最適規模，不如探究有關產出的規模如何決定。不過我們可以確定的是，當廠商規模擴大所造成管理成本的邊際增

---

39 Yoram Barzel, *"Measurement Cost and The Organization of Markets"*, pp.27-48.

40 所謂結合，就是將原本由兩個以上的企業家所處理的交易，交由一個企業家來處理。而所謂合併，則是原本在市場上游不同企業家所分別處理的交易，改由一個企業家來處理。

加，正好與節省下來之市場交易成本的邊際減少相等時，廠商的規模便會停止擴大，這將使得廠商規模與市場規模處在一種均衡的狀態。

肆、降低交易成本的具體作為

基本上誠如前面的敘述，毫無交易成本只是存在於理論之中，因此根據寇斯的觀點認為，最佳的策略是儘量將交易成本減至最小，而並非將其完全消除。也就是說，因專業化與分工化所帶來之生產成本的邊際節約，必等於交易成本的邊際增加。然而如何降低交易成本，卻成為相當重要的課題。

一、廠商的出現

誠如前述，廠商出現的原因之一就是為了減少交易的成本，因此在廠商的內部，生產要素間的討價還價模式被取消，生產活動的調整，也不必透過生產要素所有者間的議價來進行，而可以藉由行政手段與內部決策方式，來取代市場交易所可能帶來的成本。此外，廠商也將會取得各方的法定權利，生產活動的調整也不再是透過契約來將權利重新組合，而是藉由廠商內部的行政手段來決定這些權利如何使用。

二、制度的建立

寇斯認為，交易成本的產生必然會導致制度的產生；而制度的運行也將有利於交易成本的降低，在這種辯證的關係中，人們依循者某種規範行事，可以避免掉許多反覆的討價還價過程，並且可以帶來人們相互關係間的可預測性，如此便能降低交易成本；諾斯承襲了寇斯的觀點認為「當交易成本存在時，制度就舉足輕重」，他肯定了制度對於降低交易成本所扮演的積極角色；[41]達哈曼甚至更直言無諱的指出「制度必能減少交易成本」。[42]

（一）制度的內涵

所謂「制度」（institution），舒爾茲（Theodore W. Schultz）所提出的定義已經獲得了一般學者的肯定，他認為制度便是「一種涉及社會、政治和經濟行為的經濟規範」；諾斯也認為「制度是人類設計出來調節人類相互關係的一些約束條件」，[43]因此，他認為制度是一個社會的遊戲規則，這個規則所造成的約束是為了促進社會成員間的合作，並且可以增進人們互動的穩定結構，以降低其中的不確定性；[44]至於馬修斯則認為制度是「影響人們經濟生活的權利與義務之集合」，並且認為制度的內容包括有經協約而生之行為規範（conventions）、規則或所有權（rules or entitlements）兩種。[45]

（二）制度的特徵

基本上，制度具有下列四項特徵，分別敘述如下：

---

[41] 高安邦，**政治經濟學**（台北：五南出版公司，1997 年），頁 227。

[42] Cral J. Dahlman, *The Open Field System and Beyond* (U.K.:Cambridge University, 1980), p.138.

[43] 諾斯（Douglass C. North）著，劉瑞華譯，**制度、制度變遷與經濟成就**，頁 3。

[44] 高安邦，政治經濟學，頁 227。

[45] R. C. O. Matthews, “The economics of institutions and the sources of growth”, pp.903-918.

1. 具有社會性

制度約束人的根本目的是為了調解人際關係，因此是一種具有「社會性」的遊戲規則。

2. 對個人與團體行為的一種約束

制度是對於個人、組織或團體的最大化自身利益行為之一種約束，是對個人及其權利義務的一種界定。

3. 具有公共財的性質

制度關係著整個經濟中每一個行為主體的經濟利益，它能夠被任何人利用與受其影響，而不具有排他性，或者是說當要進行排他性的舉動時所需的成本極高，因而具有公共財的性質。而制度的建立、維持與實施，也與公共財的供給過程一樣需要公共的努力，或是由公共支付一定的成本。

4. 降低交易成本的效果

制度作為一種準則，能使人們在調整自己行為的同時，預測出他人的行為，進而減少人與人間因為信用所產生的交易成本問題。但是不可諱言的是，在制度運行的動態過程中，仍然需要耗費相當的交易成本，即所謂「運行成本」，但是這相對於制度所能降低的成本而言，仍然是微不足道的。所以，針對交易活動而言的制度就是一種規範，合同制度、廠商制度、保險制度與貨幣制度等，都是為了減少交易成本而存在。制度的存在，表示當交易雙方選擇了合作，選擇對於制度的遵守，將是最有利的；反之，若是採取不合作的態度，將制度視為個人行為的一種約束，則對兩方均會不利。

（三）制度的種類

諾斯除了將制度分析的架構區分為經濟組織、政府理論與意識型態外，更進一步將制度區分為三種不同的種類，他認為要使交易成本降低，必須使這三者相互配合，以製造出一個可以信守承諾的制度環境：[46]

1. 正式制度

這是屬於一種正式的約束，一種有形的制度，舉凡政治制度、經濟制度與憲法、法律（成文法與不成文法）與契約等。政治制度包括了政治體制的階層結構與基本的決策結構。就經濟層面而言，包括有社會財產的使用權與所得權、經濟活動的界線、交易的基本規則與違反規則的懲罰措施等。諾斯認為正式制度可以降低訊息、監督與執行的交易成本，並且可以彌補非正式制度的不足。

2. 非正式制度

是一種非正式的約束與無形的制度，這包括了價值觀念、倫理道德、風俗習慣和意識型態等。非正式制度的實施或許缺乏強制性，但其效果卻不一定較小，根深蒂固的程度往往勝於正式制度。而許多正式制度本身就是由非正式制度所制訂而來的，也就是說正式制度是在非正式制度的條件下受到人們的採納。

3. 制度的實施機制

所謂制度的實施機制就是保證制度得以發揮作用的手段、工具、政策或措施。這包括有相關的政府組織、機構與人員等。

[46] 諾斯（Douglass C. North）著，劉瑞華譯，**制度、制度變遷與經濟成就**，頁 5。

三、法律的制訂

為了確保買賣合約的有效性，因此必須藉由法律的力量。根據研究財產權的經濟學家來看，法律是一種社會活動，法律所訂定出的許多規範，確定了人們彼此間的權利與義務，增加了社會成員行動的可預測性，可以大幅降低交易成本，並且增加經濟剩餘。而法律在處理稀少資源的分配議題上，其所耗費的資源必然比沒有法律時來得節省。寇斯也認為，在沒有交易成本的時候，因為交易的雙方會自行調整契約的內容，改變彼此的權利與義務，以促使產值達到最大。但當交易成本大於零的時候，調整契約內容的行動會因為成本太高而窒礙難行，進而造成了產值極大的誘因消失，此時法律在決定資源的使用上，就扮演了一個相當重要的角色，法律的規定可以決定契約如何調整，方能使產值最大而交易成本降低。然而，誠如布羅姆利（Daniel W. Bromley）所言，在此所談到的法律，應該並非狹隘的只是針對成文法而言，而是一種界定人們相互作用結構中的詞彙，一種在解決紛爭過程中對於方法的共同認知，因此直接來說就是將法律視作為一種語言，一種概念。而在法律的制訂上應有若干的設計，鼓勵私人就權利交換過程中的衝突，藉由各種協商談判來達成協議，以避免在訴訟過程中耗費掉的成本。

四、產權的明確界定與私有化而可自由交換

首先，必須要有確定的、獨有的，而且可以自由移轉交換的財產權。寇斯指出，市場運行出現缺陷的原因就在於產權界定的模糊，因此造成了交易過程中之摩擦與障礙，進而嚴重影響到廠商之

行為與資源配置之結果。[47]在個體經濟學強調「自由交換能將資源做到最有效分配」的前提下，當假定交易成本為零時，明確的界定產權，並且強制私人交換契約的履行，才能達到資源配置的「柏雷圖效率」（Pareto efficiency）與解決外部不經濟的問題。相反的，倘若產權無法明確界定，將使交易成為不可能，不但會使付出之所得因無法受到保障而造成無效率，也會因為阻礙了交換行為的發生，導致交易規模的縮小。因此樊綱曾經將產權不明確所造成的效率損失，稱作為「無形的交易成本」，[48]而當產權得以明確界定時，人們便會選擇交易成本較小的體制，這會使潛在的交易成本降低。相對而言，產權會立即的依據市場價格而自由交換，資源便因此而流向效率最高、價格最高與成本最小的使用者，以達到資源的最優性配置。至於產權的私有（private property rights），係指私人具有資源利用的完整權利，此不但是指擁有產權，更是排斥他人具有同樣的權利來處置該資源，也就是說所有權利行使的決策均是出自於私人。這是使交易成本達到最低的一種制度，除非交易成本為零，否則要達到交易成本最低的選擇莫過於產權的私有化。然而此一私有化並非意味著產權只是掌握在一人手中，而是指可以多人共同擁有與行使的。

對於產權的自由交換，為了徹底確保法律的效率，該交換市場必須是處於完全競爭的狀態，也就是說要有許多的買方與賣方、要無外部效果、市場的參與者對於價格與品質要有充分的資訊；而若再配合對於交換契約的強制執行，則這種均衡配置將是最有效率。此外，在界定產權的本身也可能要花費成本，諸如起草與制訂相關的法律，都算是一種「產權界定的成本」。

---

[47] 胡永明，**市場經濟與產權改革**（北京：中國人民大學出版社，1993 年），頁 88。

[48] 樊綱，**市場機制與經濟效率**，頁 120。

五、競爭機制的出現

競爭是具有降低交易成本的功能，藉由產權的明確化還可以促使市場競爭的出現，使得交易成本得以減少，並且提高效率。[49]任何資產的所有者都可以藉由收買、出售、招標、退股、辭職等不同的形式來強化競爭，從而降低成本與提高效率。例如當公司經營不善時，股東可能會拋售股票，而公司也可能兼併，這樣可以對經營者產生約束並強化競爭，以降低交易成本。而在雇傭的關係中，勞工可自由辭職，雇主也可辭退勞工，形成另外一種競爭模式。因此產權明確化所帶來的自由轉換與競爭，使得資產的所有者可以選擇交易成本較低的契約形式來進行交易，也就可以達到降低交易成本的目的。

第二節　交易成本理論對於政府與制度變遷上的運用

在之前有關交易成本理論的發展背景、實際內容、降低作法與廠商理論等探討，似乎僅適用於微觀的企業層面，但事實上交易成本亦可應用於宏觀的政府角色與制度變遷探究。

壹、交易成本理論中的政府角色

首先，有關國家與政府這兩個名詞，國家與地理的關係較為緊密，政府則與權力較為密切。國家的構成要素包括人民、土地、政府與主權，所以政府是國家的構成部分，包括行政、立法與司法三

[49] 張五常，**賣桔者言**（香港：信報有限公司，1990 年），頁 160。

個部分，這是廣義的政府概念；至於狹義的含意只限於行政機構，基本上經濟學中的政府則多指廣義而言。[50]

新制度主義經由寇斯定理而提出對於政府的解釋，他們認為假如在政治與經濟的領域中交易成本都等於零，那麼一國的經濟發展不會受到政府類型所影響；然而若存在著交易成本，那麼一國政治權力分配與制訂規則之制度結構，就會成為經濟發展的關鍵因素；[51]佛洛波特恩(Eirik G. Furubotn)與平喬維奇(Svetozar Pejovich)則指出：「缺乏政府理論的產權理論是不完備的，而不幸的是，目前仍然沒有這方面的理論成果」。[52]不可諱言，交易成本與產權理論雖然已經發展相當成熟，但是對於政府與制度的相關探討卻仍在持續發展，雖然諾斯在 1979 年時就提出了將交易成本經濟學與代理理論相結合，以適用於分析政治制度與政治變遷，但是目前所見到的相關討論仍多集中在稅賦方面。因此，筆者希望深入探討交易成本對於政府與制度變遷的影響。基本上交易成本理論對於政府所抱持的看法如下：

一、將政府視同為廠商

在寇斯的理論中，將廠商與政府是視為相同性質的，因為他們都能夠利用行政決定來影響生產要素的使用，也都具有取代市場的功能，而許多廠商的結構與科層體制是與政府相同的，甚至決策的過程與模式亦是如此。[53]雖然他認為政府不像一般廠商必須和其他

---

50 張曙光，「國家能力與制度變革和社會轉型」，盛洪主編，**中國經濟學 1995**，頁 229-250。

51 Thrainn Eggertsson, *Economic Behavior and Institutions*, p.248.

52 Eirik G. Furubotn and Svetozar Pejovich, *"Property Rights and Economic Theory: A Survey of Recent Literature"*, *The Journal of Economic Literature*, Vol.10,No.4 (December 1972), pp.1137-1162.

53 寇斯甚至認為應該將科層組織視為是市場的替代物，由此可知政府的這個

廠商競爭，政府也可以完全避開市場的競爭，政府的強制力與公權力也比一般廠商更容易的貫徹計畫與降低成本，但仍可以將政府看作成一家超級型而且性質相當特殊的廠商，[54]因而寇斯指出政府就是一個「超大型廠商」（super firm）。基本上，政府有時能比一般廠商以更低的成本來代替某些市場的交易活動，但有時其成本亦甚大。既然可將政府視同為廠商，則廠商理論就可以適用在政府的相關議題上來加以解釋。因此我們應該將政府視為一種經濟組織，以經濟學的角度來加以研究，而有別於過去單純從政治學的角度。

二、肯定政府存在的積極性意義

寇斯在「社會成本的問題」（The Problem of Social Cost）這篇文章中指出，污染者與受污染者的相互協商是最有效率的解決之道，不過還是有賴於「創造市場工作協商之地」的機構出現，所以寇斯雖然一再促使市場機能的復活，認為管制機構的氾濫會造成交易成本的增加，而呼籲反對管制與解除管制，但他基本上仍然肯定政府所扮演的積極性角色。[55]因為在廠商內部所進行交易的行政成本可能相當高，尤其當許多不同性質與牽涉到許多人的活動，集中在一個組織內處理時更是如此，這特別是指有關於產權明確化的保護上。這種高額的成本甚至無法由一家廠商或是市場來單獨承擔，因此必須仰賴政府的力量。他認為政府首先必須要修改法令，如此可以改變人們權利與義務的內容；其次，是去改變一些簽訂契約的

規模最大的科層組織具有與廠商的相同功能，尤其在社會主義國家中，政府更是接近於經濟的科層組織。

[54] 寇斯（Ronald H. Coase）著，陳坤銘、李華夏譯，**廠商、市場與法律**，頁 134。

[55] Ronald H. Coase, “The Problem of Social Cost”, *The Journal of Law and Economics*, Vol.3, No.1 (October 1960), pp.1-44.

要件以減少交易成本；而適度的課稅、補貼與直接管制也是可以接受的。另一方面，政府所應該做的是改變行政組織，這包括了政府部門、功能與職權的重新安排，以及法律制度與訴訟程序的修改等。不過，寇斯也不斷的提出呼籲，政府的這部行政機器所耗費的成本是相當高的，它也會犯錯，亦會在沒有競爭者的壓力下墮落，甚至在有關限制性的管制規定上，也不能樂觀認為政府可以完全提高經濟制度的運作效率。因此我們可以說，寇斯一方面是肯定政府存在的價值，另一方面又反對與擔憂政府的干預過深，或許在立場上有所矛盾，但他始終認為這並無一套一體適用的衡量標準與界線，必須要視實際的時間、地理區域與產業而定。

三、法律與政府的密切關係

寇斯所不斷強調法律對於減少交易成本的正面性功能，由於法律的制訂與執行均端賴於政府這個組織，因此政府如何進行必要性與適度性的干涉管制，不但是一個政治議題，更攸關市場機能的功效。而諾斯也認為，政府扮演一個第三者的角色，藉由其中立的立場來衡量與仲裁一份契約，以降低執行契約所造成的交易成本。因此一個有效的司法制度，包括了完善的法律，優良的律師、仲裁人與調解人，清廉的司法人員都是必要的條件。[56]隨著技術的日益發達，交易也更加複雜化，其中的交易成本也相對增加，人們因此對於各種規則結構與公正第三者仲裁的需求日益殷切，這種服務也只有政府才可以提供，由此觀之，政府的確是具有公共財的特質，以提供全民共享之保障。

---

[56] 諾斯（Douglass C. North）著，劉瑞華譯，**制度、制度變遷與經濟成就**，頁 74。

四、對於政府壟斷與干涉的反對

政府對於「公共財」(public goods) 的提供與「自然壟斷」的存在，一直是政府權力不斷膨脹的合理性藉口，許多學者包括密爾 (John S. Mill)、賽吉維克(Henry Sidgwick)、庇古(Arthur C. Pigou) 與薩姆遜 (Paul A. Samuelson) 也都持著相同的觀點，然而寇斯不但完全否認自然壟斷的正當性，更認為所有的獨占與壟斷都是政府自導自演。在其「經濟學上的燈塔」(The Lighthouse in Economics) 一文中，他以英國的實際資料來證明像燈塔的這種公共財，不但是可以用「私營」的方式來取代政府的提供，而且可以因此更有效率與降低成本，[57]這可說是一反政府是公共財唯一提供者的傳統說法。因此寇斯反對政府經營公用事業，更反對政府以稅收來彌補公用事業的虧損。諾斯也始終認為政府是一個既壟斷暴力又壟斷公共服務供給的「利潤掠奪者」，並且具有強烈的歧視性，因此統治者的最大目的便在於使自己的福利最大化。[58]

另外，針對像環境污染的這種外部成本，[59]庇古在 1920 年於其「福利經濟學」(Welfare Economics) 這本書中，所提出的解決

---

[57] Ronald H. Coase,"The Lighthouse in Economics", *The Journal of Law and Economics* ,Vol.17, No.2 (October 1974), pp. 357-376.

[58] Douglass C. North, *Structure and Change in Economic History* (New York: W.W. Norton, 1979), p.21.

[59] 所謂「外部性」(externalities) 又稱為「外部效果」(external effects) 或「外溢效果」(spillover effects)，意思是指某種行為，其效果外溢到其他不相關的人身上，例如甲與乙之間的交易影響到了並非交易當事人的丙、丁，則丙、丁所受到之影響就是外部性。這可以分成兩方面，所謂「外部經濟」(external economies) 是指在經濟行為中自己不能享受到的利益；而所謂「外部不經濟」(external diseconomies) 是指有部分的成本不必自行來負擔，當這種不必自行負擔的成本，稱為外部不經濟或是「外部成本」(external

之道是要由政府以立法的強制手段來解決，由於他認為公害所造成的損害是不能由市場機能來加以排除的，也就是無法達到「柏雷圖的最適境界」(Pareto optimality)，[60]為了彌補這種「市場失靈」(market failure)的現象，藉由政府徵稅的方式來彌補受害者，或者以直接管制的手段要求公害的停止產生，如此將使污染者的「私人成本」提高，但社會成本卻能降低。寇斯對於庇古的觀點並不以為然，在「社會成本的問題」(The Problem of Social Cost)這篇文章中，寇斯認為類似環境污染所造成的社會成本不應只是由污染者移向社會的這種單方向關係，其實污染者本身也有相當的損傷，所以倘若產權可以明確的加以界定，以建立「法庭」的「創造市場」方式，市場本身便可藉由當事者的相互協調與談判來解決外部性的問題，如此一來不但可以大幅降低交易成本，整體經濟也不會受到損害。也就是說，藉由談判所獲之收益必大於談判所耗之交易成本；反之，若由政府進行干預，為了消除外部性的問題將造成許多成本的產生，甚至高過其干預所可能帶來的好處，因為一般政府並不如庇古所想像的具有能力、效率與廉潔。在這個情況下政府介入所可能產生的「政府失靈」(government failure)將會遠勝過市場失靈。[61]而當政府介入的好處小於介入的成本時，寇斯甚至認為讓大部分的外部性繼續存在，將反而使得生產價值達到最大。

---

costs)。

[60] 所謂柏雷圖最適境界也被稱作為柏雷圖效率(Pareto efficiency)，經濟學上所談的效率是指資源的配置問題，因此柏雷圖效率的意義是，當整體的經濟已經不能透過改變產品與資源的配置，在其他人(至少一個人)的效用水準至少不下降的情況下，使任何別人(至少一個人)的效用水準有所提高，也就是說意味著達到了某種不能再擴大的「利益最大化」，或者說是代表著一種「最為順利」的過程。反之，所謂「柏雷圖無效率」(Pareto inefficiency)，則是指一個經濟還可能在其他人效用水準不變的情況下，藉由重新配置資源與產品，使得一個或一些人的效用水準有所提高。

[61] Ronald H. Coase, *"The Problem of Social Cost"*, pp.1-44.

五、政府與人民的交換及契約關係

人民繳交稅捐與提供若干義務，以換取政府所提供的種種服務，這些服務包括有財產權保護、法治與公正等，並且可以減少社會內部的不安，這就形成了一種交換的關係，當統治者為了要獲得更多的收入，就會同意給予民眾多少的服務。例如在有關於產權的界定方面，藉由國家的力量可以使其更加明確化，避免許多衝突的機會，並且大幅降低交易成本。另外，諾斯則認為政府與人民可以視為一種「契約」關係，當人們藉由談判而形成建立政府的共識時，這種為保護自身產權的共識就是所謂的「社會契約」（social contract）。[62]

六、對於排他性產權的維護

誠如前述，寇斯非常強調排他性產權（exclusive property rights）的重要性，[63]然而，這卻意味著必須耗費一定的成本，去度量與描述資產與保證實現所有權利。在現實中我們會發現是由政府來保證與執行排他性權利，也就是藉由政府的強制來實施所有權，以提高個人所擁有的資產價值；而政府相較於其他團體，能夠有效的降低交易成本，如此的政府行為構成了市場交換的穩固基石，由此可見產權體系必須依賴社會的政治結構。相反的，在某些資產的占有與

---

[62] 諾斯（Douglass C. North）著，劉瑞華譯，**制度、制度變遷與經濟成就**，頁62。

[63] 排他性產權的意義就如同寇斯所認為的，產權必須具有明確的界定與完全的私有化，如此方能完全防止外來的侵害。一般來說，排他性的建立可以藉由武力或武力威脅、價值體系與意識型態的制約、習俗與習慣法的規範以及國家的強制力量等方式。

交換上，其契約的執行得不到政府的協助，甚至是政府明令禁止的，如毒品交易等犯罪行為，則所產生的鉅額交易成本會限制或阻止這種商品的交換行為。[64]基本上，政府必須藉由憲法、法律、行政規則、司法體系與立法機構等不同方式，來進行上述之強制性作為。

七、政府的非理性作為

諾斯曾經指出，當交易成本很高的時候，統治者為了自身的利益，往往會設計出不符合經濟快速增長的產權結構或是產權交易，[65]甚至當國內外人士都已意識到產權結構的調整，將可大幅增加國家的淨收益時，該國的產權結構卻仍然沒有實質性的改變，這尤其是在非民主的國家中最為明顯。這種政府非理性作為的產生原因，是因為個人理性與集體理性產生對立，造成執政者產生損人利己的自利心態。盛洪認為所謂理性，就是依據現有的信息進行成本與收益的分析，而選擇利益最大化方案的能力。[66]基本上從短期來看，非理性的制度安排是自然發生的，但從長期來看，其終將會被淘汰。

貳、交易成本理論對在制度變遷上的意義

藉由交易成本理論來探討制度變遷，已經成為新制度經濟學的一項重要議題，經由成本與產權的觀念來探討一個制度發生變遷的

---

[64] Thrainn Eggertsson,*Economic Behavior and Institutions*, p.35.

[65] Eirik G. Furubotn and Svetozar Pejovich, “Property Rights and Economic Theory: A Survey of Recent Literature”, pp.1137-1162.

[66] 盛洪，「為什麼人們會選擇對自己不利的制度安排」，盛洪主編，**中國經濟學 1995**，頁 81-93。

原因、過程、變項與可能造成的結果。尤其是對於開發中國家的轉型過程，其提供了研究者另類的思考空間，而近年來許多對於中國大陸變遷課題的研究，藉由成本觀念所獲致的成果已經相當顯著。當然，寇斯在這方面仍然扮演著首開先河的角色，但他具體的研究成果則似乎較為有限，因為寇斯並沒有考慮到由一種權利安排轉向另一種權利安排的變遷過程。[67]張五常則在繼承寇斯的理論後，進一步將交易成本分成「制度運作成本」與「制度轉變成本」兩種形式；[68]而諾斯則認為成功的制度變遷是經過財產權的重新安排，而使得交易成本獲致下降。

一、制度變遷的原因

當有兩種制度所能提供的服務數量相同時，交易成本較低的制度安排代表著效益較高，因此制度變遷就是由一種效益更高的制度來取代原本制度的替代過程。而制度變遷發生的原因，從交易成本的觀點來看，就在於「自利」，也就是在此制度下的多數成員因為本身利益的驅使而產生，這些人在支持制度變遷的同時，心中早已經過理性的得失評估，而非盲動躁進的人云亦云。茲就一般學者的觀點提出說明：

（一）收益與成本考量所形成的制度變遷

寇斯認為如果從事某項活動的權利是可以買賣的，在交易的活動與過程中，透過權利的取得、分割與結合，最後的結果將會是市

---

[67] 張軍，「中央計畫經濟下的產權與制度變遷理論」，盛洪主編，**中國的過渡經濟學**（上海：三聯書店，1995 年），頁 209-229。

[68] Steven N. S. Cheung, *"The Contractual Nature of The Firm"*, pp.1-22.

場價格與評價最高的。然而要使人願意去取得這些權利必須有相當的誘因，當這些經由權利的取得、分割與結合所組成的一個新權利活動，其所可能帶來的好處，與這些交易活動所需的成本相互比較，當此交易成本小於所可能帶來的好處時，這些權利取得的活動才有可能產生。或者如布羅姆利所言，當一個制度變遷的潛在收益（potential gainers）可以彌補那些因為變遷而造成損失的人，即使這些彌補沒有實際發生，只是受到損失者在進行「假想上的補償」（hypothetical compensation）後而認為「潛在收益」會存在，甚至還有剩餘，那麼這項制度變遷就滿足了「潛在柏雷圖改進」（potential Pareto improvement）的前提條件。[69]我們將此觀點運用在制度的變遷上來看，當一個新制度的建立所可能帶來的收益（即所謂外在利潤），大於建立該制度所要花費的成本時，才會產生對於新制度的現實需求，也就是才有新制度的產生。因此新制度的建立成功與否，攸關於潛在利潤的大小與成本大小，也就是諾斯所謂的相對價格之改變所致。樊綱曾就此說法提出一個制度變遷的條件：[70]

Wn-TC>Wo

其中 Wn 表示新制度所可能帶來的預期收益，TC 代表制度變遷所可能帶來的諸多代價，也就是變遷成本（transititonal cost），

---

[69] 所謂非柏雷圖改進，是指在資源配置改變之後，將新增加的收益在相關的行為主體間進行分配或再分配時，將造成部分人的損失。而柏雷圖改進則是指在分配或是再分配之後，將使任何人都不受到相對或是絕對的損失，也就是達到了福利經濟學中的所謂「補償原理」。諾斯認為制度變遷是基於潛在利潤所致的說法，他曾指出：「安排制度變遷的誘致因素是期望獲取最大的潛在利益」，請參考寇斯（Ronald H. Coase）、阿爾欽（Armen Alchian）、諾斯（Douglass C. North）等著，胡莊君、陳劍波等譯，**財產權利與制度變遷：產權學派與新制度學派譯文集**（上海：上海三聯書店，1994年），頁 270。

[70] 樊綱，「兩種改革成本與兩種改革方式」，盛洪主編，**中國的過渡經濟學**，頁 134-161。

Wo 則代表舊制度所可能提供的淨收益。只有當預期收益減掉變遷成本而大於舊制度的淨收益時，制度變遷才有可能發生。

（二）因制度失衡所造成的變遷

所謂均衡（equilibrium）是指相互對立的變數相等，也就是相對的兩種勢力中任何一方不具有改變現狀的動機與實力，而所產生的一種均勢狀態。制度均衡基本上是一種動態的、相對的狀態，更是一種理想而永難實現的狀態。當我們發現未來的收益將會大於成本時，對於制度的「潛在需求」就會轉變為「現實需求」，於是就產生了「制度失衡」的現象。這種失衡的狀態一直要到新制度的建立與外部利潤被獲致，制度才有可能恢復均衡，因此制度的失衡就是供給與需求出現了不一致，其原因包括有「制度供給不足」與「制度供給過剩」兩種。就前者而言，可能是因為新制度的建立往往耗時甚久，以致造成緩不濟急的狀況，也就是新制度無法與時俱進的隨著需求而建立；或是因此一新制度的施行可能危及到上層統治者的個人利益，使得這個新制度可能帶來相當的淨收益，卻因為上層人士的反對而造成制度失衡始終存在；此外，政府對於制度創新的獨占與對公眾制度創新的壓制，也都會造成制度供給的不足。至於制度的供給過剩，則是指制度對於社會的需求是多餘的與過時的，例如政府過多的管制措施等。

（三）因制度創新所造成的變遷

制度創新（institutional innovation）與制度變遷（institutional change）的觀念雖然相近但亦有所不同，制度變遷通常依賴制度創新，因為往往是必須先創造一套新的制度，才可能改變舊有的制度。諾斯對於制度創新持著相當肯定的態度，他認為在技術不變的條件下，藉由制度創新可以促進經濟增長，也因此諾斯才會在日後將制度視為經濟增長中的決定性因素。[71]造成制度創新的原因有二：

1.相對價格的變化

這包括有交易成本的變化、要素價格比率的變化與技術的變化等，我們在此僅針對交易成本的變化來加以探討。在交易成本中，訊息成本是占了最重要的地位，由於訊息成本的變化造成某些制度的存在成為多餘，如此就形成了獲取外在利潤的機會，於是制度創新的動力便接踵而來。[72]

2.創新過程中可能改善某些人福利

在創新的過程中可能改善某些人福利，但也可能損害某些人的福利。雖然福利受損者的人數可能遠小於受利者，但是因為交易成本的大幅提高將使得創新遭遇阻力，這便是「非柏雷圖改進」（non-Pareto improvement）；反之，當一項創新使得一個人以上者的福利獲得改善而無人受損時，則屬於「柏雷圖改進」。當然，柏雷圖改進只是一個遙不可及的夢想，但是我們可以知道在創新的過程中，當福利受損的人越少時，就越能以最小之交易成本順利完成制度的變遷。

71 張克難，**作為制度的市場和市場背後的制度——公有產權制度與市場經濟的親和**（上海：立信會計出版社，1996年），頁59。

72 例如我們因為投資的資訊成本太高或是資訊來源不足，而有了投資「共同基金」的制度出現。

（四）因排他性產權所形成的制度變遷

諾斯曾經藉由產權的觀點來說明引發制度變遷的原因，他認為「排他性產權」的發展，可以造成所有者主動而積極的提高效率與生產率，進一步可以去獲得更多的技術與知識，這都有可能成為制度變遷的原因，也就是說在排他性產權所引發的自利心理，可以促使進一步的發展[73]。而波斯納（Richard A. Posner）與德姆賽茲也指出，要具有排他性產權，必須是建立在私有財產的基礎上，因而個人與市場就扮演了重要角色，以達到資源具有完全的可流動性。[74]因此由產權學派的觀點來看，要達到最有效率與交易成本最低的制度變遷，唯有走向私有產權的模式。

（五）因為制度交易所形成的制度變遷

布羅姆利指出，當經濟與社會條件發生變化的時候，新的品味與偏好等社會價值逐漸產生，受到價格與稀少性的影響，所產生之新的相對成本與相對收益，使得現存的制度結構產生了不合時宜的現象，並且可能使某些特殊團體產生新的利益，此時社會成員為了要求制度對於新的條件作出反映，便會以集體的行動極力去修正制度安排與反對現存制度安排，以使制度能與新的稀少性、新的技術性機會、新的收入與財富再分配、新的愛好與偏好等條件相互一致。因此諾斯曾說，社會價值是制度變遷的主要因素，而社會價值

---

73 Douglass C. North and Robert P. Thomas, *"The First Economic Revolution"*, *Economic History Review*, Vol.30 (1977), pp.229-241.

74 Richard A. Posner, *Economic Analysis of Law* (Boston:Little Brown, 1977), p.10.

的改變就是意識型態的改變。[75]基本上，這些因為新經濟條件而產生的反映過程中，所發生許多確立新制度安排的活動，布羅姆利將其稱作為「制度交易」(institutional transactions)，這種交易具有四個內容，分別是：可以提高生產效率、可以分配經濟機會、可以重新分配收入與可以重新分配經濟優勢。制度交易是在一種資源有限的環境下，所進行的政策競爭，以便將一塊固定的大餅進行重新的分割，這就是「尋租」(rent seeking)。

另一方面，發生在既有制度結構中的活動則可視為「商品交易」(commodity transactions)，這裡所謂的「商品」，是指一個社會中的所有物品與服務，是經濟理論中交易的主題。從圖 2-2 中我們就可以看出一個制度變遷的發生過程，其基本上是一種動態與循環性的運作狀態。[76]

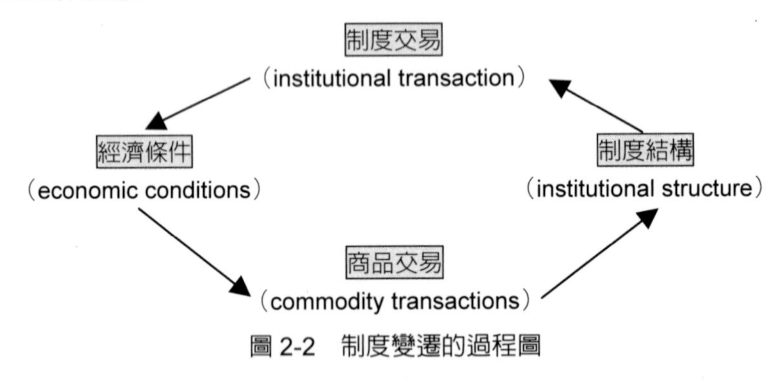

圖 2-2　制度變遷的過程圖

資料來源：Daniel W. Bromley, *Economic Interests and Institution: The Conceptual Foundations of Public Policy* (New York: Basil Blackwell Inc., 1989), p.130.

---

[75] Thrainn Eggertsson, *Economic Behavior and Institutions*, p.75.

[76] Daniel W. Bromley,*Economic Interests and Institution: The Conceptual Foundations of Public Policy* (New York: Basil Blackwell Inc., 1989), p.130.

雖然產生制度變遷的原因很多，但總結而言，當人們意識到舊有制度的發生因素產生了變化，又發現了更有效率與更有利的交易方式時，就導致了新制度變遷的誘因。或許我們不能否認許多制度變遷的發生並非如此，甚至明顯的違逆效率與利益，但是從歷史與宏觀的角度來看，制度的變遷多是從低效率與低利益的形式，逐漸走向高效率與高利益的形式。

二、制度變遷的主體

諾斯將制度的主體區分為個人、組織與國家三個層次，[77]若是由個人來進行制度變遷的安排，或許沒有組織成本與強制執行的成本，但是收益可能是相對有限。而藉由組織來進行變遷的制度，必然要支付變遷與創新的組織成本，尤其隨著組織人數與規模的增大，使得內部要達成一致性同意的交易成本大幅提高，而過大的組織結構甚至常使得制度變遷與創新機會渺茫。至於由國家來進行制度變遷的主導者，固然因為國家有巨大的強制力而使得組織成本較小，不過就如布羅姆利所言「制度變遷代表著國家對於個人的強制」(institutional change represents coercion of the individual by the state)，[78]所以強制的成本可能相當大。甚至有時會有國家為了自身利益而強制進行某種制度創新，這種強制作為不僅會因為與社會利益衝突而形成「國家異化」的狀況，其所造成的強制成本更是可觀。

基本上，任何一種制度變遷的選擇都不是某一組織或單個國家領導集團所能完全主導，社會中經由個人所結合而成的利益集團，

---

[77] 王耀生，**新制度主義**，頁 76。

[78] Daniel W. Bromley, *Economic Interests and Institution: The Conceptual Foundations of Public Policy*, p.5.

彼此之間的角力競逐與合縱連橫，往往扮演著更為重要的角色。但是對於集權統治下的國家而言，核心領導者的偏好與私人利益卻似乎更受到重視，倘若制度的變遷對其有所侵害則難以繼續推行下去。另一方面，執政者之所以願意進行改革，則是為了加強自己的政治權威與政治地位，並提高自身的政治聲望，以試圖將公開反對的政治力量減到最小。因此唯有當核心領導者的利益與大多數社會成員一致時，制度變遷才有可能成功。[79]

三、制度變遷的成本與阻力

任何一項制度的變革當然必須耗費相當昂貴的交易成本，而這項成本的認定包括有廣義與狹義的兩種認定標準。狹義的制度變遷成本是指國民生產毛額（GNP）的損失，當一項制度變遷或改革造成了 GNP 的下降或成長趨緩時，這種損失就被認為是制度變遷的成本。廣義的解釋，則認定當一項制度變遷的過程，除了會造成 GNP 的下降外，因為社會的惶恐不安、動亂罷工與公眾抱怨而造成社會成員利益與福利之損失，也都是成本的界定範圍。因此達哈曼曾經指出，制度變遷往往是「外損性」與「非連續性」，由於在邁向新制度的同時受到損害者不會輕易認輸，所以造成了外損性；而因為變遷的過程中往往是由量變逐漸轉變為質變，所以容易造成離散性與非連續性。[80]

基本上，制度變遷的成本與阻力，可以從以下三個層面加以探討：

[79] 胡汝銀,「中國改革的政治經濟學」,盛洪主編,**中國的過渡經濟學**,頁 64-89。
[80] Cral J. Dahlman, *The Open Field System and Beyond*, p.214.

（一）制度變遷過程中的成本

在一項制度的變遷過程中，從一開始到變遷的結束，可以發現包括有三個不同階段的交易成本，也就是所謂的「替代成本」。首先，是發現舊有制度的缺點而必須耗費掉的交易成本，接著是設計出適用於現況的新制度所耗費之成本，最後則是各項保證制度的實施所可能花費之交易成本。

1.發現舊有制度缺點的成本

在發現現有制度的缺點上，搜集訊息的成本是必然需要的，否則很難發現缺點之所在與建立新制度的要求。雖然當前資訊的傳遞與媒體的影響力相當顯著，但在官僚制度「視而不見」與「維持現狀」的特質下，訊息傳遞過程中所耗費的成本相當可觀，政策決策者是否能獲致真實的訊息也受到質疑。尤其在專制國家中，新聞自由嚴重箝制與代議制度功能不彰，不論在訊息搜集與傳遞的過程中，都勢必耗費相當的交易成本。除此之外，在當前訊息如此多元與複雜的狀況下，如何從中選擇有用之資訊也必須耗費相當的成本，特別是對於舊有制度批判與支持的各種訊息，如何加以辨識、區分以至於選擇，都是一大課題。

2.設計新制度的成本

在設計新制度的過程中，訊息成本也扮演著相當重要的角色，如何能夠掌握到支持與反對兩股力量的訊息，達到知己知彼的效果，是新制度建立成功與否的重要契機。而在設計的過程中，協商成本更是不可避免，如何與反對力量相互折衝以取得最後結論，所耗費的人力、物力與時間非常可觀，所以我們可以發現任何一項改革的過程中，冗長與繁複的協商過程不可避免，而高失敗率更證明改革的困難程度。

3.保證制度實施的成本

保證一個制度的存在與持續運行，也必須耗費大量成本，在制度的建立過程中，往往需要去監督整個過程的變化與觀察各種力量消長，以立即提供因應對策，這便是監督成本。另一方面，為了使新制度順利運行與獲得保障，相關法令規章的制訂是必要的，而在制訂的過程中，各方在自利的情況下，必然會為了謀求自身利益之最大化而相持不下，甚至造成既得利益者的強大反對，這就形成了另外一種的締約成本。

4.不確定性的成本

謝普斯勒（Kenneth A. Shepsle）認為制度變遷是一種投資形式，其成本是對一種新政體將生產什麼產品所發生的「不確定性」（uncertainty），[81]也就是說在制度變遷的過程中，人們會因為對於變遷結果所可能造成的利弊得失提出懷疑，這種懷疑除了會產生希望穩定原有制度或防止制度持續變遷的想法外，也可能產生排斥的態度，這都會造成制度變遷的另外一種成本，這其中以政權的領導高層最為明顯，因為代理成本提高與失去控制的威脅始終困擾著他們。這種不確定性，只有當新制度結構的營運品質獲得確定後，才有可能逐漸消失。

（二）成本的實際內容

在制度改革與變遷的過程中，所產生成本的實際內容可以區分為「實施的成本」與「摩擦的成本」兩種，分別敘述如下：

[81] Thrainn Eggertsson, *Economic Behavior and Institutions*, p.72.

1.實施的成本（implementing costs）

所謂實施的成本是指當一項制度變遷開始之後，因為訊息的不完全、相關知識的獲得不足與制度預期的不穩定，所造成的經濟效率損失；是一種從舊制度走向新制度的過渡程序中，對於新制度在設計、創新與重新組合過程中的經濟損失。例如，所謂制度變遷，實際上就是一種人們廢止舊契約而簽訂新契約的一種過程，這種重新簽約的交易成本（即締約成本）即實施成本。因此可以說實施成本就是一種「技術成本」，是制度變遷過程中的「必要之惡」。

2.摩擦的成本（friction costs）

摩擦成本又被稱作為「政治成本」（political costs），是因為新制度的產生會造成某些既得利益者或相關利益團體，因為無法達到柏雷圖最適分配的結果，也就是處於「非柏雷圖改進」的狀況中，而產生對抗與反對的種種活動所引發時間與物質之經濟損失，這正是制度變遷過程中的主要阻力，因此摩擦成本也可說是因為利益分配不均，所造成不同利益集團間的摩擦。但事實上，摩擦成本要具體計算相當困難，要明確算出究竟耗費了多少國民生產毛額也實屬不易。不過我們可以發現，當社會越不穩定時，對經濟與效率所造成的損害就越嚴重。

（三）相對阻力與絕對阻力

制度變遷的交易成本往往就是變遷阻力之主因，因為當交易成本過高而使得整體無法承受時就自然產生了阻力，使得變遷的過程中充滿著「不可持續性」。這種阻力一般可以分為「相對阻力」與「絕對阻力」兩種。從公共選擇理論的角度來看，相對阻力是指整體中的一部分人或一部分利益團體，因物質或精神上的利益損失而反對制度變遷。其通常以三種形式來表現：

1. 整體集團的成員分成：支持、中間與反對的利益集團。
2. 每個集團都以自身的利益出發而提出各種方案，以圖自利的最大化，這往往會造成混亂與衝突。
3. 在制度變遷的過程中，多數人可能一部分受益而一部分受損，造成支持與反對的分歧。

至於絕對阻力的根源不是利益集團間之對立，而是人們自身利益的對立，這包括長遠利益與短期利益的矛盾。基本上，相對與絕對兩種阻力是很難清楚的予以分野，往往是同時發生而且相互交織。

對於阻力的排除，樊綱認為倘若能對反對者進行補償則可以降低制度變遷的阻力，使得所有人都能在不受損失的情況下，由非柏雷圖改進逐漸過渡至柏雷圖改進。然而此一說法基本上只是理論上的判斷，因為無法遂行補償效果的原因如下：[82]

1. 許多損失是精神性的，無法藉由物質來加以補償。
2. 相對損失無法徹底消除。
3. 當時是處於「陣痛期」的阻力現象。
4. 在大規模的變遷開始後只有投入而缺乏產出。

另一方面，補償可能會造成改革收益減少，尤其當補償層面越廣時，補償成本就越大。根據盛洪的說法，倘若補償超過一定限度，可能會造成支持與反對制度變遷的雙方，都失去繼續下去的動力。[83]此外，在補償過程中也不是沒有交易成本的，也就是會出現所謂的「補償成本」，任何微小的交易成本都可能使補償難以實現，

---

[82] 樊綱，**漸進改革的政治經濟學分析**（上海：遠東出版社，1996 年），頁 107。

[83] 盛洪，「尋求改革的穩定形式」，盛洪主編，**中國的過渡經濟學**，頁 16-34。

因此連樊綱自己都承認，「在現實中，總還會剩下一些轉化不掉的非柏雷圖改進」。[84]

四、制度變遷的種類

依據制度變遷所發生的原因與速度，可以將其區分為以下的類型：

（一）根據發生原因來分

依照制度變遷的產生原因，可以分成兩方面來說明：

1. 誘致性制度變遷（induced institutional change）

此種分析方法是來自於希克斯（John R. Hicks）的「誘致性技術變化模型」（model of induced technical change）而來，該模型指出現行制度的改變，是由於一個人或一群人為了支持獲利機會，而自發性的倡導、組織與施行，亦即是在原有制度之安排下，因為沒有獲利機會而引起的，所以是藉由某種「利益」而誘致產生。[85]當人們在交易的活動中，發現了現有制度的安排不足，發現了外在利潤的存在，便會產生自發性與一致同意性的制度變遷。此時，它們會將獲取此一外在利潤與進行制度變遷中的預期成本作一比較。當預期的外在利潤明顯大於預期成本時，就產生制度變遷的動力；相反的，如果一個制度始終不發生變遷，就證明此一變遷成本必然遠大於收益。誘致性變遷通常是漸進式的，往往是一種由下而上，從

---

[84] 樊綱，「論改革過程」，盛洪主編，**中國的過渡經濟學**，頁 35-63。

[85] Daniel W. Bromley,*Economic Interests and Institution: The Conceptual Foundations of Public Policy*, p.18.

局部到整體的緩慢過程，而個別性的制度改變並不會使整個制度結構產生變化，當整個舊制度一點一滴變化而達到某種程度的臨界點時，整個制度才會產生結構性的變化。

2. 強制性制度變遷（imposed institutional change）

乃是由政府藉由法律或命令強行進行制度的變遷，強制性制度變遷的原因是倘若完全由誘致性制度變遷來提供制度供給，必然會產生供給不足的情況。因為制度作為一種公共財，其生產如果完全是由私人來進行，必然會造成嚴重的制度失衡現象，不僅嚴重損害經濟發展，社會也可能會形成一種無章法可循的失序狀態，公眾福利進而受到傷害。此外，誠如林毅夫所言，除非在新制度的安排中，個人淨收益超過制度變遷之成本，否則就不會發生自發性的制度變遷。[86]

由於強制性制度變遷的施行主體是國家，藉由國家強大的公權力來進行制度創新與變遷，因此這種變遷模式並不需要一致性，在不必支付太大組織與協調成本之情況下可使得效率較高。此外，由於強制性制度變遷所進行的規模相當巨大，因此可以達到規模經濟的效果。然而，雖然可以達到節省一致同意所需耗費的成本，卻必須增加強制執行所帶來的成本。此外，苗壯也認為，在強制性制度變遷中，政府（委託人）與其他制度主體（代理人）間的互動是處在一種博奕關係，政府必須負擔龐大的訊息成本；而誘致性制度變遷可說是一種制度主體間的競賽，可以降低政府的信息成本。[87]

---

[86] Justin Yifu Lin, *"An Economic Theory of Institutional Change: Induced and Imposed Change"*, *The Cato Journal*, Vol.9(1989), pp.1-33.

[87] 苗壯，「制度變遷中的改革戰略選擇問題」，盛洪主編，**中國的過渡經濟學**，頁 90-107。

總的來說，強制性制度變遷也是依據成本收益原則來進行考慮的，當預期的收益超過預期的成本時，統治者才會去執行此一變遷，反之則會停止。不過，國家所考慮的成本與收益並不是單純的經濟因素，而是有其他的非經濟因素，諸如政權穩定、民眾支持、政黨利益、國際聲望與意識型態等。甚至，有時制度變遷的方向也可能有違國家領導者的初衷，而是有利於官僚機構的利益極大化，或者有利於某一利益團體。此外，誘致性制度變遷與強制性制度變遷是處在一種「矛盾統一」的狀態中，兩者的對立性已如前述，但兩者亦有其互補性，有些時候適合採用誘致性的處理方式，但有時候則應該採取強制性的作為。並且在大多數的制度變遷過程中，常常是難以嚴格區分，因為政府固然可以強制於人民，但是人民常常也強制於政府；因為許多改革都是政府迫於人民的壓力而開始進行，許多政府之所以願意改革，往往也是鑑於改革所帶來的利益會大於不改革，而此一利益也並非全然是基於公利，有時可能只是對於執政者或官僚體系有利。

（二）依照變遷速度來分

依照制度變遷的步伐快慢，可以區分為漸進性制度變遷與激進性制度變遷兩種，從諾斯的角度來看就是「漸進的改革」（gradual reform）與「增進的改革」（incremental reform）的兩種概念：

1. 漸進性制度變遷

顧名思義，所謂漸進的制度變遷，是採取一種較為和緩的進行方式，其基本原則就是「自願」與「非對抗」，為了使反對的力量減至最小與維護既得利益者的利益，通常是允許舊有體制的繼續存在，因此會產生新舊制度並存的狀態，而此一狀態可能會維持相當長的一段時間。

漸進性制度變遷有其發生的條件，首先是經濟的狀況並未完全惡化，也就是政府還有餘力將增加之國民收入，轉為對於損失嚴重之利益集團進行補償；其次，普遍的勞動力水準與 GDP 仍然是處於較低狀態，這使得變遷成果具體而明顯；第三，就是社會矛盾尚未激進化，政府可以進行有效管理以保持社會穩定。基本上，漸進型制度變遷的優缺點如下：

(1) 摩擦成本較低

由於漸進式變遷對於既得利益者的損傷是緩慢的，因此感受不會過於強烈，也不會使得反對力量在短時間內成為強大聯盟；加上因為「投入—產出時滯」所引起的「阻力」較為緩和，及因改革所形成之外部利潤的逐漸內部化，均使得受損者可以獲得相當程度與即時的經濟補償，所以摩擦成本會因為反對力量較為薄弱而減少。

在漸進式變遷中阻力較大的改革通常會因為邊際成本大於邊際收益，不是被暫緩就是分散為許多次較小的行動。因此摩擦成本較小而改革容易成功，改革的措施也多能達到邊際收益與邊際成本相等的狀態，甚至在漸進改革過程中的每一個階段，都會是在舊體制危機最高、機會成本最低與收益最高的狀態，這使得改革過程中的交易成本相當低，不但摩擦成本在每一階段均呈現較低的情況，即使是摩擦成本的總額也相對較少，因此諾斯就指出「制度通常是逐步漸進的改變」。[88]

(2) 可隨時停止而彈性高

當改革過程超過某一個臨界點而形成與既得利益者的嚴重衝突時，為了避免對抗的擴大，改革可能會終止。因此漸進式變遷的

---

[88] 諾斯（Douglass C. North）著，劉瑞華譯，**制度、制度變遷與經濟成就**，頁 10。

優點之一便是當遇到嚴重困難時可以立即停止，使整體的損失減至最小程度。

(3) 新舊制度並存下協商與締約成本較高

由於新舊制度並存的不協調現象長期存在，使得要完成整個制度變遷，就必須藉由不斷的談判與契約簽訂來達成，因此在這過程中所耗費的協商與締約交易成本就相當可觀。

(4) 效率與成果不彰

在漸進的制度變遷中，由於認為信息與知識的累積是演進式的，在「摸著石頭過河」與「邊學邊做」的心態下，必然會對於原有的訊息加以修正，以免一失足成千古恨，因此往往造成較大的效率損失，以致於效率不彰；而且在政策的執行上為了避免侵害某一既得利益，造成許多措施無法徹底落實，不但使得政策多變，許多措施更陷入不斷的循環中。此外，漸進式變遷的決定往往是次佳的，因為最佳的決策通常是尖銳主張，但這種不佳決策卻可能是後繼變遷的障礙。

2. 激進性制度變遷

激進性制度變遷所強調的是要在短時間內進行一致性之轉變，希望能在一次的協商與締約過程中，從舊制度轉變為新制度。在此一過程中或許新舊制度的不協調時間較為短暫，新舊制度勢力相互折衝所耗費的交易成本較小，但是相對於漸進性變遷而言，由於一下子剝奪了許多既得利益者的利益，將可能造成相當大的反彈力量，進而形成經濟損失增加。而當激進性變遷遇到強烈反對時，通常不會立即停止，只要支持的人多過於反對者則激進性變遷就會繼續下去，因此大多數人的偏好便扮演了相當重要的角色。總的來說，一種大規模的制度變遷，其過程是多偏向強制性，當變遷越是激進，強制性就越明顯。一般來看，當一個社會已經陷入了嚴重的經濟與社會危機，經濟增長趨於停滯，舊有制度不但無法維持人們現有之收入水準，而且也無法再提供收入增長的預期時，多數人已經對於舊有制度失去信心，倘若執政者對於改革的工作又一拖再拖，就提供了激進性制度變遷發展的溫床。因此，當經濟長期停滯與經濟增長率越低時，激進性變遷就越容易發生，激進程度也越強烈。另一方面，激進性制度變遷雖然可能在很短的時間內摧毀舊有體制，但在建立新體制的過程中也無法一蹴可幾，而需要逐步性的向前邁進。

為了能具體的分析出激進制度變遷與漸進制度變遷的差異，樊綱以大陸為案例提出了一個關係式：[89]

$$R = F(\overset{-}{G}、\overset{+}{Ls}、\overset{+}{S}、\overset{+}{Y})$$

其中 R 是代表制度變遷的激進程度；G 代表經濟增長率；Ls 代表經濟結構，即國有企業工作者占全部勞動力的比重；S 代表國有企業的獲利率；Y 代表著國民平均 GDP，即經濟發展水準。從以上的式子看來，當經濟增長率越高則越不可能採取激進的模式；而當國有經濟的比重越高、虧損越嚴重、GDP 越高，則比較可能產生激進制度變遷。基本上，激進型制度變遷的優缺點如下：

(1) 摩擦成本較高

就改革前的社會而言，採取漸進變遷前的社會摩擦較少涉及政治層面，政治性對立較低而多為經濟性的利益損失，因此對於舊有制度的反對是溫和的，例如抱怨不滿、消極怠工、道德衰落等，整

[89] 請參考樊綱，**漸進改革的政治經濟學分析**，頁 164。

個社會基本上也是較為平靜。而在激進變遷進行前的社會，不但社會摩擦明顯，衝突也擴展至經濟甚至是政治層面，使得社會處於動盪不安，各種遊行示威、罷工罷課與政黨間的鬥爭不斷出現，甚至造成了政府的危機。

(2) 敵對勢力妥協的協商與締約成本較高

激進性制度變遷由於要一蹴可幾相當困難，所以制度變遷中不同立場與勢力因為必須進行談判、周旋與簽約，這會造成經濟體系產出能力的大幅下降，當此一過渡期越長將造成耗費的成本越劇。

(3) 制度變遷成功後社會認同較高

激進性的制度變遷，除了造成經濟層面的變化外，社會與政治制度也會產生變化，這雖然增加了摩擦成本，但是當成功之後，推動者的目標與社會整體之目標較為一致。反之，漸進性變遷當成功後，推動者之利益是獲得了，但是和社會整體的實際利益卻不一定密切吻合。

五、制度變遷的程序

布羅姆利認為制度在變遷的過程中，必須有三個不同而又彼此相連的層次，即政策層次（policy level）、組織層次（organizational level）與操作層次（operational level）。就政策層次而言，在民主國家通常是指立法和司法機關，但在非民主國家則指有實際決策力量的個人或統治集團；組織層次則是指負責執行的行政機關，其包括了組織與法規的發展；至於操作層次則是指廠商與家庭。在圖2-3 中可以發現，在三個層次間藉由「制度安排」來加以聯繫，並且形成了一個相互作用的形式。所謂制度安排，是指藉由集體的決定來界定個人的權利、義務、責任與地位，社會並且依此而組織起來，更可有益於社會對於個人的積極性進行引導。政策層次透過基本方針的決定而形成了制度安排，再由組織層次透過制度安排下達至操作層次來加以執行，然而基本上藉由操作層次的互動會產生集體反映（collective response），並且反射至政策層次以達到重新的制度安排，在如此的相互作用後形成若干結果（outcomes），而這些結果必然會遭致支持者或反對者的各種不同評價（assessment），並且再反饋（feedback）回政策與組織層次，形成制度的變遷。[90]

圖 2-3　科層組織的政策過程（The Policy Proces as a Hierarchy）圖

[90] Daniel W. Bromley, *Economic Interests and Institution: The Conceptual Foundations of Public Policy*. p.33.

第三章　中國大陸僑務政策之變遷

從 1949 年中共建政迄今，不論在毛澤東、鄧小平、江澤民與胡錦濤的主政時期，其僑務政策都有所不同，這其中受到了許多國內與國際因素所影響，而其政策的具體內容差異與對於全球廣大華僑也產生了相當明顯的影響。本章是以 1978 年的改革開放作為分界點，分別從中共建政之後到文化大革命結束，以及改革開放之後的兩個階段進行探討。

第一節　中共建政後至文革時期的僑務政策發展

中共自建政以後，對於僑務工作與相關政策，在不同時期採取了不同作為，到文化大革命結束之前，大致可以分成三個時期：

壹、反蔣拉攏時期（1949 年至 1956 年）

1949 年由蔣中正先生所領導的國民政府雖然遷移至台灣，但仍是聯合國的常任理事國，依舊宣稱擁有全中國的主權，並具有多數邦交國；但中共在國際上僅獲得蘇聯等共產國家的承認，甚至在經濟與軍事上受到以美國為首的西方國家封鎖。由於蔣中正始終以孫中山先生的繼承者自居，而孫中山在推動革命時華僑的參與甚多，因此大多數華僑仍支持「繼承法統」的國民政府。

一、爭取海外華僑政治認同

基本上，在 50 年代初期大陸的僑務政策，最重要工作就是希望動員華僑在政治上反對蔣中正的國民黨政府，轉而效忠新中國政府，進而增加大陸政權在國際上的合法性，其具體作法如下：

（一）強調華僑的參政議政

在 1949 年政治協商會議（以下簡稱政協）第一次會議中，華僑陳嘉庚、司徒美堂被選為由 56 人組成之中央人民政府委員，[1]成為參與中共政權建立的締造者。此外，在「中國人民政治協商會議全國委員會」（以下簡稱全國政協）亦成立了「華僑組」，[2]以有利於華僑參與政治事務。1954 年舉行了第一屆全國人民代表大會（以下簡稱全國人大），取代了原本政協之法案議決與人事同意等職權根據大陸憲法規定，全國人大是國家最高的權力機關，當時共有華僑代表 30 人參加，[3]顯示華僑參政議政有了另外的管道。

（二）設置華僑事務專責機構

1952 年 1 月，大陸發出了「中共中央關於海外僑民工作的指示」，強調僑務工作之目的在於「爭取生存、加強團結、保存力量」，

---

[1] 賈海濤、石滄金，**海外印度人與海外華人國際影響力比較研究**（濟南：山東人民出版社，2007 年），頁 166。

[2] 任貴祥，**華僑與中國民族民主革命**（北京：中央編譯出版社，2005 年），頁 441-448。

[3] 賈海濤、石滄金，**海外印度人與海外華人國際影響力比較研究**，頁 166。

為了強化僑務工作的推動，在中央人民政府設置了「華僑事務委員會」的專責機構。[4]

（三）爭取海外華僑的認同與支持

1954 年 3 月，中共中央轉批了「資本主義體系國家內華僑統一戰線與社團工作的若干意見」，強調僑務工作從建國初期的「團結多數華僑，打擊蔣幫反動勢力」轉變為「教育僑胞團結愛國，力求在當地生存下去」。[5]顯示此一時期之僑務政策，逐漸由「反蔣」轉變為「拉攏」。

（四）華僑工作與外交工作相互結合

為了協調僑務與外交工作，1954 年 10 月總理周恩來在國務院第二次全體會議上安排領導人員的具體分工時，親自接管了外交部與華僑事務委員會。[6]這使得僑務與外交工作，雙方能夠相輔相成，資源亦可相互整合。

二、吸引僑資僑匯以利經濟恢復

中共建政初期，由於資金缺乏因此亟需海外資金的挹注，但由於當時大陸在外交上遭致西方國家孤立，國外資金的引進甚為困難，加上為防止西方帝國主義的資金進入，因此轉而積極吸引僑資

---

[4] 田雛鳳，「江澤民僑務思維及政策之研究」，銘傳大學國家發展與兩岸關係碩士在職專班碩士學位論文（2006 年），頁 23。

[5] 賈海濤、石滄金，**海外印度人與海外華人國際影響力比較研究**，頁 178。

[6] 賈海濤、石滄金，**海外印度人與海外華人國際影響力比較研究**，頁 178。

與僑匯。1950 年頒布了「僑匯業管理暫行條例」，採取「便利僑匯、服務僑胞」的方針，[7]如此使得 1951 年所吸引的僑匯較 1949 年增加了高達 7 倍以上，為 1.68 億美元。[8]另一方面，也頒布了「華僑投資於國營華僑投資公司的優待辦法」，以吸引華僑前來投資「公私合營企業」，其中多集中在福建與廣東地區，之後包括北京、上海、天津與漢口等地也相繼成立。[9]僑資與僑匯的引進對於大陸來說，不但解除了建政初期資金不足的燃眉之急，而且也引進了最新的技術與知識。

三、解決華僑實際問題

中共建政之初，諸多體制面臨轉變，衍生出許多華僑實際問題，加上國際上對於中共政權的疑慮與圍堵，使得僑務工作趨於務實與低調，而大陸當局對於解決華僑問題的具體作為如下：

（一）解決華僑婚姻與土地等實際問題

1950 年 5 月 1 日，大陸頒布「婚姻法」，之後又頒布「對華僑婚姻問題的糾紛處理辦法」，以解決中共建政後涉及華僑之婚姻認定問題。[10]另一方面 1950 年與 1952 年分別頒布了「土地改革中對華僑土地財產處理辦法」與「關於土改中處理華僑土地、財產的九點辦法」，強調中共建政之後雖然開始推動社會主義公有制，但對於華僑與歸僑的私人財產，仍然充分加以保障。[11]由此可見，大陸

---

[7] 田雜鳳，「江澤民僑務思維及政策之研究」，頁 24。
[8] 賈海濤、石滄金，**海外印度人與海外華人國際影響力比較研究**，頁 167。
[9] 賈海濤、石滄金，**海外印度人與海外華人國際影響力比較研究**，頁 167。
[10] 田雜鳳，「江澤民僑務思維及政策之研究」，頁 23。
[11] 毛起雄、林曉東，**中國僑務政策概述**（北京：中國華僑出版社，1993 年），

為了安撫華僑對其政權之疑慮，對於與華僑切身有關之婚姻與土地問題，予以相當程度之尊重與重視。

（二）安排華僑返國定居

1948 年 6 月，馬來亞（今馬來西亞）之英國殖民政府頒布了「緊急法令」，以共產嫌疑為由將華僑逮捕、驅逐，使得大批難僑回到大陸，而大陸當局則必須接受與安排前來定居、求學的華僑，[12]到了 1956 年時歸國華僑達到了 20 餘萬人。[13]為了安置這些來自馬來西亞、泰國、緬甸、越南之難僑，從 1952 年開始在廣東、福建、廣西、雲南等省，建立了許多「華僑農場」，[14]以安定與改善難僑之生活。

四、彌平國際反華聲浪

中共建政之後，對於全球的「紅色革命運動」來說可謂是一大勝利，而 1950 年的韓戰，大陸透過志願軍發動「抗美援朝」戰爭，使得其影響力更是走向國際，這使得許多國家開始懷疑大陸會藉由扶植各國之共產黨以顛覆手段來進行所謂「革命輸出」，因此對其採取敵視與防範之態度，造成當地華僑也連帶遭受諸多不平等待遇，進而對於中共政權心生不滿。因此 1952 年 6 月大陸所發布的「關於國外華僑報刊編輯的指示」中，就強調「不要參與當地政治

頁 64。

12 方金英，**東南亞華人問題的形成與發展**（北京：中國現代國際關係研究所，2001 年），頁 36。

13 賈海濤、石滄金，**海外印度人與海外華人國際影響力比較研究**，頁 166。

14 田雛鳳，「江澤民僑務思維及政策之研究」，頁 24。

運動」，希望避免因而遭致落人口實；同年 9 月「華僑事務委員會」在北京所成立之「中國新聞社」，廖承志指出要確立「僑務工作」的新聞作風是「要報導祖國的消息，但消息還必須適合僑報刊載，不妨礙其生存」，[15]以免華僑報刊因為報導立場過於偏頗大陸而遭致查禁。1953 年 8 月中共中央統戰部召開之「中央僑務會議」上，遂將僑務工作分成「三大塊」，其中對於所謂「社會主義兄弟國家」的華僑，要求他們全部加入當地國籍；對於所謂「新興民族主義國家」（主要是東南亞地區國家），要求華僑遵守當地的政策法規，不介入當地的革命與政治鬥爭；對於所謂在「西方敵對資本主義國家」的華僑，則無「清規戒律」，可「身在曹營心在漢」，用各種手段展開鬥爭，也要防範西方國家華僑回國從事反革命活動。[16]1954 年之後，為了增進與東南亞國家之友好關係，大陸鼓勵當地華僑歸化當地，在 1954 至 1955 年，大陸與印尼簽署了「中華人民共和國和印度尼西亞共和國關於雙重國籍問題的條約」，[17]進一步宣布大陸放棄對於雙重國籍的承認，強調華僑必須就外國籍與中國籍進行抉擇，希望藉由此一斧底抽薪方式解決東南亞國家對於大陸的疑慮。

貳、發展趨緩時期（1957 年至 1965 年）

1957 年開始，在毛澤東的主導下大陸開始進入政治運動的高峰期，至 1966 年文化大革命發動前，整體的僑務工作呈現趨緩的態勢。

---

15 賈海濤、石滄金，**海外印度人與海外華人國際影響力比較研究**，頁 177。

16 賈海濤、石滄金，**海外印度人與海外華人國際影響力比較研究**，頁 177-178。

17 賈海濤、石滄金，**海外印度人與海外華人國際影響力比較研究**，頁 177。唐慧，**印度尼西亞歷屆政府華僑華人政策的形成與演變**（北京：世界知識出版社，2006 年），頁 104-106。

由於從 1956 年冬天開始，大陸各地城市出現了糧食短缺現象，而學生與工人在就學就業的安置上也出現困難，加上農村地區在鬧缺糧的風潮下動盪不安，使得社會上對於毛澤東的領導頗多怨言，其中尤以知識份子為甚。因此在 1957 年 2 月，毛澤東提出了「關於正確處理人民內部矛盾的問題」，強調社會主義社會存在著兩種類型的矛盾，分別是敵我矛盾與人民內部矛盾，前者要用強制與專政的方法解決，而後者要用民主與說服教育的方式解決，即「團結、批評、團結」的方法。[18]為了解決當時大陸社會普遍存在的人民內部矛盾，從該年 3 月開始，毛澤東推動所謂的「雙百方針」，強調「百家爭鳴、百花齊放」，但實際上卻是藉此「引蛇出洞」的讓反對人士一一浮出檯面；4 月時中共中央發布了「關於整風運動的指示」，開始推行「反對主觀主義、官僚主義與宗派主義」的所謂「整風運動」。[19]然而在「大鳴大放」之下，毛澤東所認定的所謂「資產階級右派份子」開始藉由「大民主」來攻擊「黨天下」，進而要求黨退出校園與工廠，毛澤東認為這是「直接攻擊人民民主專政」，因此在 5 月中旬發表了「事情正在起變化」一文，正式宣告由「正確處理人民內部矛盾」轉向「對敵鬥爭」，由「黨內整風」轉為「反擊右派」，隨即在 6 月開始推動「反右運動」。[20]11 月，毛澤東前往莫斯科參加「各國共產黨和工人黨代表大會」，毛聲稱要在 15 年內將鋼鐵產量超過英國；各地方開始積極批判右傾保守思想，並掀起一波波日夜奮戰生產的高潮，此即為「大躍進」之開端。[21]

1958 年 1 月所召開的「南寧會議」與 3 月召開的「成都會議」中，毛澤東批判了周恩來與陳雲的反冒進思想，並提出了「不斷革

[18] 胡繩，**中國共產黨的七十年**（北京：中共黨史出版社，1991 年），頁 353-354。
[19] 胡繩，**中國共產黨的七十年**，頁 355。
[20] 胡繩，**中國共產黨的七十年**，頁 356-357。
[21] 胡繩，**中國共產黨的七十年**，頁 361。

命」的路線。5 月，在中共八大第二次會議中通過了「鼓足幹勁、力爭上游、多快好省的建設社會主義」總路線，正式邁入了「大躍進」的階段。[22]另一方面在同年 4 月，中共中央發出了將小型農業生產合作社併為大社的意見，並開始試辦；7 月時毛澤東公開表示「人民公社好」，使得人民公社運動全面性的展開；8 月，中央政治局在北戴河舉行的擴大會議中，正式通過了「關於農村建立人民公社問題的決議」，將大躍進與人民公社推向「高指標、瞎指揮、浮誇風、共產風」的左傾道路，[23]此時大陸的僑務政策發展如下所示：

一、全國人大華僑代表由歸僑中產生

在此一左傾政治氛圍下，1959 年 4 月所舉行的第二屆全國人大會議上，華僑代表雖然仍為 30 名，並依規定「華僑人民代表仍由國外華僑中選舉產生」，但實際上已經改為由歸國華僑中選舉產生。[24]1963 年 12 月通過了「第三屆全國人大華僑人民代表名額及選舉辦法」，正式規定「華僑應選舉全國人民代表大會代表 30 人，由歸國華僑中選舉」。[25]由此可見，至此之後所謂的華僑全國人大代表，已經無法反映海外華僑的真實民意。

二、對於僑資採取管制措施

1957 年 8 月 1 日全國人大會常委會第 78 次會議批准了「華僑捐資興辦學校辦法」，同年 8 月 2 日由國務院公布，[26]對於華僑資

[22] 胡繩，**中國共產黨的七十年**，頁 362-363。
[23] 胡繩，**中國共產黨的七十年**，頁 364-365。
[24] 賈海濤、石滄金，**海外印度人與海外華人國際影響力比較研究**，頁 179。
[25] 賈海濤、石滄金，**海外印度人與海外華人國際影響力比較研究**，頁 179。
[26] 國務院僑務辦公室，「華僑捐資興辦學校辦法」，國務院僑務辦公室網站，

金的捐助仍採歡迎之態度；但在 1960 年之後，隨著政治運動日益頻繁與政治風氣日趨保守，對於華僑資金也開始採取管制措施，使得華僑投資趨於停頓。

三、繼續撤回海外華僑

1959 年大陸對於華僑採取所謂的「三好」政策，強調「華僑加入僑居國國籍，很好；華僑自願保留中國國籍，同樣好；華僑願意回國參加祖國建設，也好」。[27]由此可見，此一階段的僑務實際工作仍然承襲上一階段的低調作風，避免引起其他國家無謂的懷疑與對立。也因此，對於不願歸化於當地的華僑華人，大陸仍然採取全部撤回的措施，總計從 1959 至 1961 年，約有 11～12 萬的華僑回到大陸。[28]

參、完全停頓時期（1966 年至 1976 年）

1966 年 5 月，中共中央政治局擴大會議通過了「中共中央通知」（即所謂的「五一六通知」），會中包括彭真、羅瑞卿、楊尚昆等人遭到批判與解除職務，而「中央文革小組」也隨之成立，由陳伯達擔任組長。[29]8 月 1 日，毛澤東在中共八屆十一中全會開會之日，寫信給上海清大附中的紅衛兵表達支持，而會議也通過了「中共中央關於無產階級文化大革命的決定」；7 日，毛澤東寫了「砲

2008 年 8 月 18 日，請參考 http://www.gqb.gov.cn/node2/node3/node5/node9/index.html。

[27] 賈海濤、石滄金，**海外印度人與海外華人國際影響力比較研究**，頁 177。

[28] 賈海濤、石滄金，**海外印度人與海外華人國際影響力比較研究**，頁 177。

[29] 胡繩，**中國共產黨的七十年**，頁 425-427。

打司令部，我的第一張大字報」，表達了強烈支持文革的態度，而其鬥爭目標就是劉少奇。[30]同年 8 月 18 日起，毛澤東在北京天安門廣場八次接見了來自各地的紅衛兵。而從 1967 年 1 月開始，自上海展開了紅衛兵的「全面奪權」階段。[31]

一、華僑遭致政治批鬥

在文革時期，由於海外華僑被看作是「資產階級」與「資本主義」的反動力量，是要被鬥爭的對象，而非團結的對象，[32]因此「僑」成為了所謂的「黑七類」。[33]在這種情況之下，不但大批歸僑與僑眷遭致政治迫害，造成名譽、財產與身體的嚴重傷害，大陸的華僑政策更幾乎遭到全面性否定，進而呈現完全停滯的狀態。許多海外華僑一方面擔心在大陸親友的狀況，另一方面又無法聯繫，造成對於中共政權的不滿。而台灣則把握機會，加強僑務工作的推動，以爭取華僑的向心力，進而有助於「反攻大陸」的可能性。

二、僑資引進完全停止

由於文革時期大陸採取「閉關鎖國」政策，連帶使得華僑的經濟投資也受到政治力的干涉。1970 年「華僑投資公司」遭到裁撤，1972 年宣布「中華人民共和國不允許外國人在中國投資」，1974 年外貿部又重申「社會主義國家根本不會引進外國資本，或同外國

[30] 胡繩，**中國共產黨的七十年**，頁 428。
[31] 胡繩，**中國共產黨的七十年**，頁 429。
[32] 賈海濤、石滄金，**海外印度人與海外華人國際影響力比較研究**，頁 180。
[33] 田雛鳳，「江澤民僑務思維及政策之研究」，頁 26。

開發本國或其他國家的資源；根本不會同外國人搞聯合經營」。[34]其所造成的影響，不但是資金缺乏的問題更加嚴重，而且許多先進的技術與設備也無法引進，造成大陸科技與經濟發展的停滯。而台灣在此時則推動一連串優惠政策，鼓勵華僑回國投資，這對於欠缺資金而亟欲從農業轉型為工業的台灣來說，可說是一大助益。而日後台灣所創下高經濟成長率的「經濟奇蹟」，甚至成為亞洲「四小龍」，華僑的幫助都是功不可沒。

三、裁撤僑務工作單位

1969 年「華僑事務委員會」遭致撤銷，使得僑務工作歸由外交部負責，而地方的僑務部門也紛紛遭致裁撤。[35]此外，建立在北京、福建集美、廣東廣州與汕頭等 7 所華僑補校也遭致停辦，而福建的廈門大學、泉州的華僑大學、廣州的暨南大學也相繼被迫停辦。[36]而台灣在此時則積極推動僑務教育，鼓勵華僑回台升學，當時台灣的大專院校錄取率極低，但都針對僑生另設名額。許多華僑子弟，特別是東南亞地區因為當地政府的歧視政策，使得他們在升學不易的情況下紛紛來台接受高等教育。

第二節　改革開放之後的僑務政策發展

1976 年 9 月 9 日毛澤東死亡，隨後四人幫遭到逮捕，使得虛耗十年的文化大革命終於宣告結束。然而繼任中共中央主席、國務

[34] 賈海濤、石滄金，**海外印度人與海外華人國際影響力比較研究**，頁 168。
[35] 田雛鳳，「江澤民僑務思維及政策之研究」，頁 26。
[36] 田雛鳳，「江澤民僑務思維及政策之研究」，頁 26。

院總理與中央軍委主席的華國鋒，卻沒有真正認清文革與毛澤東晚年的錯誤，仍然堅持文革中的「以階級鬥爭為綱」與「無產階級專政下繼續革命」的論點，因而提出了所謂「兩個凡是」，即「凡是毛主席做出的決策，我們都堅持維護，凡是毛主席的指示，我們都始終不渝的遵循」。[37]此一論點不但與一般民眾對於長期政治運動的厭惡大相逕庭，更與鄧小平的改革開放看法出現矛盾，1977 年 5 月，鄧小平明確指出「兩個凡是」是錯誤的，這使得雙方對立日益白熱化。[38]1978 年 3 月，人民日報發表了「只有一個標準」的文章，獲得了鄧小平、葉劍英、陳雲、李先念、胡耀邦等改革派的肯定；5 月，光明日報發表了「實踐是檢驗真理的唯一標準」的文章，顯示輿論也開始否定華國鋒的「兩個凡是」。[39]12 月所召開的「中央工作會議」中，鄧小平發表了「解放思想、實事求是、團結一致向前看」的講話，並提出了「四個現代化」的主張，之後召開的中共十一屆三中全會，華國鋒雖仍擔任黨中央主席，但其政治地位已經明顯受挫，鄧小平成為新的領導核心，而改革開放也正式展開。[40]改革開放之後，大陸的僑務政策展現了新的發展局面，分為以下幾個發展階段。

壹、迅速發展時期（1977 年至 1988 年）

大陸從建政至文革時期所採取的是鎖國政策，而從 1977 年之後開始走向對外開放，使得僑務政策也隨之迅速開展。

---

[37] 胡繩，**中國共產黨的七十年**，頁 484。
[38] 胡繩，**中國共產黨的七十年**，頁 486。
[39] 胡繩，**中國共產黨的七十年**，頁 486-487。
[40] 胡繩，**中國共產黨的七十年**，頁 488。

一、僑務工作逐漸恢復

在文革結束之後，整體的僑務政策主軸與華僑政治參與，就是儘速恢復文革之前的相關運作。

（一）重新展開僑務工作

1977 年鄧小平首先發表「海外關係是個好東西」的政策講話，這可以說是對於歸僑與僑眷在文革時期所遭到之政治迫害，給予重新定位與平反。同年 11 月，國務院召開了「僑務工作會議」，強調「五僑」機構必需予以恢復，並且建立聯席會議機制，以定期召開會議；[41]所謂「五僑」就是指全國人大之華僑代表、全國政協僑務委員會、國務院華僑事務委員會、中華全國歸僑聯合會、中國致公黨，這顯示文革時期停滯多時的僑務工作開始逐漸恢復。

1978 年 1 月，「人民日報」發表了「必須重視僑務工作」的文章；[42]而在鄧小平提出「要先把『廟』恢復起來」的說法下，國僑辦也在 1978 年成立，由廖承志擔任主任，隨後各級地方政府的僑務辦公室也相繼恢復或成立；[43]鄧小平認為當時的僑務政策必須依據「建廟立菩薩」的三步驟，分別是「立廟、擺菩薩、管事情」，[44]就是要透過設立國僑辦與地方僑辦，使得人事逐漸到位，進而能展開工作。1978 年 12 月，「全國僑務工作會議」與「第二次歸國華僑代表大會」在北京召開，這可以說是文革結束後首次大規模的僑

---

[41] 田雛鳳，「江澤民僑務思維及政策之研究」，頁 28-30。

[42] 賈海濤、石滄金，**海外印度人與海外華人國際影響力比較研究**，頁 181。

[43] 賈海濤、石滄金，**海外印度人與海外華人國際影響力比較研究**，頁 181。

[44] 田雛鳳，「江澤民僑務思維及政策之研究」，頁 28。

務與華僑相關會議，許多海外華僑在文革時期因為大陸採取鎖國政策而無法回國，如今終於能夠一償回鄉之夙願；在上述會議中，傳達了中共中央關於「從九個方面落實涉僑歷史遺留問題的指示」，僑務工作強調「團結、友好、愛國」與「一視同仁、不得歧視、根據特點、適當照顧」的政策主軸，[45]顯示大陸亟欲平復與補償文革時期對於華僑的政治迫害，並讓華僑重拾對於中共政權的信心。

（二）重新恢復華僑參政議政

1983 年第六屆全國人大新成立了「華僑委員會」，[46]顯示全國人大不但重新讓華僑參與相關運作，而且能夠組織完全由華僑全國人代所組成的委員會。另一方面，大陸也全面恢復了歸僑與僑眷之政治權利，如此使得大批歸僑被允許入黨，甚至能夠晉升與擔任政府中的領導工作。至 1987 年中共十三大為止，共有 17,781 位歸僑與僑眷被提拔為縣級以上部門領導，[47]如此使得華僑與僑眷參政議政的管道大幅增加。

（三）全面平反華僑之冤錯假案

大陸開始全面性的摘掉戴在許多歸僑與僑眷頭上的「右派份子」、「地主份子」、「資產階級份子」、「特務」、「特嫌」、「裡通外國」等政治帽子，全面平反涉僑之冤錯假案。根據統計，文革時發生涉

---

[45] 賈海濤、石滄金，**海外印度人與海外華人國際影響力比較研究**，頁 181。

[46] 賈海濤、石滄金，**海外印度人與海外華人國際影響力比較研究**，頁 181。第六屆全國人民代表大會第一次會議通過了全國人民代表大會設立民族委員會、法律委員會、財政經濟委員會、教育科學文化衛生委員會、外事委員會、華僑委員會等 6 個專門委員會的組成人員。

[47] 賈海濤、石滄金，**海外印度人與海外華人國際影響力比較研究**，頁 181。

僑的冤錯假案共計 34,539 起，完全平反者計 33,056 起，[48]顯示平反的比例相當高。

二、積極引進僑資僑智

有關華僑的經濟參與，文革之後大陸強調兩大主軸，一是「以僑引資」，另一則是「以僑引智」。

（一）採取「以僑引資」政策

在改革開放的政策下，從 1979 年開始，大陸開始在深圳、珠海、汕頭與廈門等四地成立了「經濟特區」，為了彌補資金的不足，因此積極透過歸僑與僑眷向海外的華僑進行「親情攻勢」，以吸引華僑前來投資。1984 年大陸又決定在上海、天津、廣州、青島與大連等 14 個沿海城市，以及長江三角州與閩南廈漳泉三角地區開發為「沿海經濟開發區」；1988 年繼續將開發區延伸至遼東半島與山東半島，[49]一連串開發區的相繼建設都亟需資金之挹注，這使得「以僑引資」成為重要手段。而相關法令亦一一出台，包括 1979 年 7 月 1 日發布之「中外合資經營企業法」，[50]1983 年 9 月 20 日發布的「中外合資經營企業法實施條例」，[51]1986 年 4 月 12 日通過的「外資企業法」，[52]1988 年 4 月 13 日又發布「中外合作經營企業

[48] 賈海濤、石滄金，**海外印度人與海外華人國際影響力比較研究**，頁 181。

[49] 賈海濤、石滄金，**海外印度人與海外華人國際影響力比較研究**，頁 169。

[50] 該法由全國人大發布，1990 年 4 月 4 日第一次修正，2001 年 3 月 15 日第二次修正。

[51] 該法由國務院發布，1986 年 1 月 15 日第一次修正，1987 年 12 月 21 日第二次修正，2001 年 7 月 22 日第三次修正。

[52] 該法由第六屆全國人大發布，2000 年 10 月 31 日第一次修正。

法」。[53]如此使得吸引與保護僑資的相關法令日益完備，也大幅提升了華僑投資大陸的信心與意願。這使得 1979 至 1991 年外商在大陸的直接投資達 268.85 億美元，其中海外華人投資額為 179.32 億美元，占三分之二。[54]

（二）採取「以僑引智」作為

所謂「以僑引智」，就是引進華僑的人才與智力，以及先進的管理經驗。事實上華僑進入大陸進行投資，除了提供最需要的資金外，更引進了專業的生產技術與管理知識，而這正是大陸在文化大革命導致教育出現斷層後，最迫切需要的。

三、恢復華僑與僑眷的權益

在迅速發展時期的僑務實際工作中，主要著眼於恢復華僑在文革之前的相關權益。

（一）積極清退華僑與僑眷之財產權

文革結束之後，為了挽回海外華僑對於中共政權的信心，開始大規模的清理與退賠在文革時期遭到查抄的涉僑私人存款與財產。另一方面，也開始落實「僑房政策」，保障華僑房屋之所有權，至 1991 年為止，文革時被侵占的 310 餘萬平方公尺的僑房全部受到清理與退賠；甚至文革前的歷次政治運動中，被徵收的 2,301 餘萬平方公尺的僑房，也清理與退賠了 2,210 餘萬平方公尺。[55]

---

[53] 該法由第七屆全國人大發布，2000 年 10 月 31 日第一次修正。
[54] 賈海濤、石滄金，**海外印度人與海外華人國際影響力比較研究**，頁 169。
[55] 賈海濤、石滄金，**海外印度人與海外華人國際影響力比較研究**，頁 182。

（二）推動僑匯之優惠措施

為了保障華僑之匯款，特別允許海外之僑匯在匯入大陸時，不必折算成外匯人民幣，而可直接以原來之貨幣匯入。此外，僑匯之收入免徵個人所得稅，並提高僑匯的留成比例，且以優惠方式鼓勵使用僑匯購建住宅。[56]

（三）放寬華僑之入出境管制

改革開放之後，大陸對於出入境也採取更為開放的態度，其中對於出境來說最早是開放身在大陸的僑眷，可以出國探親。1978年大陸發布了「放寬和改進歸僑僑眷出境審批的意見」，允許歸僑與僑眷出國探親，其目的在於希望他們能夠聯繫海外之華僑，進而鼓勵回國投資。另一方面，則開放華僑可以回國探親，因此 1980年也發布了「取消對海外華僑、港澳同胞旅行限制」，這有助於華僑能夠回國進行探親與投資等旅行活動。

（四）仍然堅持否認雙重國籍

誠如前述在 1954 年，大陸公開宣布放棄對於雙重國籍的承認，而到了 1980 年所公布實施的「國籍法」，更進一步明文規定不承認雙重國籍。[57]

---

[56] 賈海濤、石滄金，**海外印度人與海外華人國際影響力比較研究**，頁 182。
[57] 「國籍法」第三條規定「中華人民共和國不承認中國公民具有雙重國籍」。

（五）積極制訂僑務相關法令

為了使僑務工作可以「有法可依」，大陸於改革開放之後積極制定有關僑務之相關法規，總計從 1978 年至 1990 年為止，中共中央、國務院與有關部門所制訂的涉僑政策、法規文件共計有 198 件。[58]

貳、低潮突破時期（1989 年至 1994 年）

到了 1986 年，改革開放已經歷經 9 年，社會上諸多問題與矛盾開始一一浮現，諸如貧富差距嚴重、物價膨脹不斷、官員貪污腐敗、社會風氣丕變、意識型態的路線之爭等，這使得要求政治體制改革的呼聲四起，但鄧小平始終強調「只搞經改不搞政改」，因此 12 月爆發了「八六學潮」。由於總書記胡耀邦對於此運動寄予同情，加上其若干支持民主化的言論與鄧小平衝突，使得 1987 年 1 月的中共中央政治局擴大會議中，胡耀邦因「反資產階級自由化運動」不力，違反集體領導原則，被迫辭去總書記而由趙紫陽繼任，[59]但他卻因此獲得多數民眾的支持。

1989 年 4 月，胡耀邦因病逝世，使得學生與群眾藉此群集於北京天安門廣場，表面上是為了紀念胡耀邦，但實際上卻是表達對於鄧小平的不滿，以及對於改革開放以來各種亂象的抗議。由於情勢越演越烈而形成烽火燎原之勢，各地都出現示威抗議活動，天安門廣場的民眾更快速增加，不但參與的群眾從原本的學生到工人與

---

[58] 田雛鳳，「江澤民僑務思維及政策之研究」，頁 33。

[59] 胡繩，**中國共產黨的七十年**，頁 521。魏艾，**中國大陸經濟發展與市場轉型**（台北：揚智文化公司，2003 年），頁 21。

一般民眾，而且國際的支持與資源挹注也不斷湧入。另一方面，當時蘇聯與東歐共產政權正一一被推翻，使得大陸高層已經意識到此一活動將可能動搖中共的統治根基。因此 6 月 4 日派出軍隊進行武力鎮壓，許多學生遭到射殺與逮捕，或是被迫流亡海外，這就是舉世矚目的「六四事件」。而大陸派出部隊以武力鎮壓手無寸鐵的學生，大肆逮捕民運人士，使得全球輿論為之譁然。許多歐美國家對大陸採取了各種降低外交關係與經濟制裁的措施，使得大陸對外關係一落千丈。為了挽回低迷的對外關係，大陸透過改革開放以來快速建立的華僑網絡，對於其僑居地國家進行各種層面的聯繫與疏導。

一、藉由僑務工作突破對外低潮

面對六四事件後大陸對外關係所面臨的低潮期，加上台灣政治情勢的丕變，使得大陸僑務政策的發展如下：

（一）採取「大僑務」的概念，

所謂「大僑務」，就是強調僑務工作除了服務大陸境內的歸僑與僑眷外，更要將僑務工作發展的觸角伸向海外之華僑華人，[60]即採取所謂「以僑引僑、助僑興業」的「興國利僑」政策。此外，依據「掌握僑情、理解僑心、維護僑益、發揮僑力」之原則，透過各種方式建構其全球統戰平台。[61]誠如江澤民在 1989 年 12 月 18 日所召開的第四次「全國歸國華僑代表大會」上所言「僑務工作歷來是黨和國家的一項長期、重要的工作……廣大僑胞遍佈世界五大

[60] 田雜鳳，「江澤民僑務思維及政策之研究」，頁 36。
[61] 田雜鳳，「江澤民僑務思維及政策之研究」，頁 72。

洲，他們對於幫助世界人民瞭解中國，樹立社會主義中國的形象，可以起到積極的作用。應當說，在新的歷史時期，僑務工作顯得越來越重要了」。[62]而在六四事件之後，每當大陸領導人出訪時總會面臨到層出不窮的抗議場景，此時華僑便成為展現支持大陸政權的政治動員對象。另一方面，六四事件也使得許多大陸留學生在海外滯留不歸，許多華僑也同情與支持民運，進而對大陸政權產生敵視，甚至成為反共力量，這使得大陸也必須積極對外鞏固僑情。

（二）僑務工作與「防獨促統」相結合

1988 年蔣經國去世，由李登輝繼任中華民國總統，使得台灣政治長期由「外省籍」人士所主導的模式，正式轉變由「本省籍」人士領導之局面，此外台灣不論政治與社會發展均開始走向「本土化」的道路，加上以台灣主體性為訴求的民主進步黨成立，均使得台灣獨立的聲音開始出現。在此一情況下，大陸在影響力無法直接進入台灣的情況下，改為積極透過海外之華僑滲入台僑或新華僑社團，即採取所謂「以僑引台」政策。[63]希望藉由海外華僑之迂迴模式，接觸與影響同在海外之台僑或新華僑，進而透過他們影響台灣內部的政治發展。

二、鼓勵華僑的經濟參與

此一時期有關華僑的經濟參與，著重於華僑投資法令的增加與投資標的之改變。

---

[62] 田雛鳳，「江澤民僑務思維及政策之研究」，頁 47。
[63] 田雛鳳，「江澤民僑務思維及政策之研究」，頁 49。

（一）強化華僑投資之法令

1990 年大陸國務院發布了第 64 號令「關於鼓勵華僑和香港澳門同胞投資的規定」，[64]同年 12 月 12 日更發布了「外資企業法實施細則」。[65]這使得 1992 至 1997 年外商在大陸的直接投資達到 1,968.1 億美元，其中海外華人的投資額就高達 1,276 億美元，占 65%。[66]

（二）華僑投資標的有所改變

改革開放以來，僑資投入大陸之產業，多以傳統勞力密集與低附加價值產業為主，但是隨著大陸進行產業升級，開始鼓勵僑資投入技術密集之高新科技產業。

三、對於僑務工作更為務實而具體

此一時期僑務的實際工作，主要是以歸僑僑眷之實際權益保護，以及對外進行宣傳為主：

（一）增加歸僑與僑眷之權益保護法規

為了加強對於歸僑與僑眷的權益保護，1990 年大陸全國人大制訂了「中華人民共和國歸僑僑眷權益保護法」，[67]1993 年 7 月國

---

[64] 國務院僑務辦公室，「國務院關於鼓勵華僑和香港澳門同胞投資的規定」，國務院僑務辦公室網站，2007 年 8 月 17 日，請參考 http://www.gqb.gov.cn/node2/node3/node5/node9/index.html。

[65] 該法由對外經濟貿易部發布，2001 年 4 月 12 日第一次修正。

[66] 賈海濤、石滄金，**海外印度人與海外華人國際影響力比較研究**，頁 170。

[67] 賈海濤、石滄金，**海外印度人與海外華人國際影響力比較研究**，頁 183。

務院頒布了「中華人民共和國歸僑僑眷權益保護法實施辦法」，[68]如此使得相關法制更趨完善。

（二）舉辦各種海外華僑活動

1991 年大陸召開了「第一屆世界華商大會」，[69]全球各地的華商群集於新加坡，除了充分展現大陸對於全球華商的領導地位外，更顯示在六四事件後，大陸突破了國際經濟封鎖而向國際邁出了一步。此外，1994 年 9 月在美國洛杉磯召開的「第一屆福建同鄉懇親大會」，共 200 多人參加，[70]亦顯示大陸亟欲透過海外華僑突破六四事件後的國際封鎖。

（三）透過中資介入海外華文媒體

為了扭轉海外媒體對於大陸六四事件的負面報導，大陸開始透過中資介入海外的華文媒體，並錄用大陸之留外人士擔任編採人員，使得海外華文傳媒立場逐漸傾向大陸。[71]

參、反獨促統時期（1995 年至 2005 年）

1995 年 6 月前總統李登輝赴美進行訪問，發表題為「民之所欲，長在我心」的演講，公開宣稱台灣是「主權獨立」的政治實體，這使得大陸認定李登輝欲進行台灣獨立，除了斷然拒絕了從 1992

---

[68] 賈海濤、石滄金，**海外印度人與海外華人國際影響力比較研究**，頁 183。
[69] 賈海濤、石滄金，**海外印度人與海外華人國際影響力比較研究**，頁 214。
[70] 賈海濤、石滄金，**海外印度人與海外華人國際影響力比較研究**，頁 213。
[71] 田雛鳳，「江澤民僑務思維及政策之研究」，頁 48。

年開始的海基與海協兩會的事務性磋商外，更在 1996 年在台灣南北兩端進行導彈發射訓練，史稱「九六年台海危機」。因此在 1995 年 4 月 14 日中華全國歸國華僑聯合會前任主席楊泰芳在人民日報海外版撰文指出，僑務工作的特點之一就是僑務工作與對台工作關係密切。[72]1999 年 7 月李登輝接受「德國之聲」專訪時表示，中華民國自 1991 年修憲以來，已將兩岸關係定位在「國家與國家，至少是特殊的國與國關係，而非一合法政府、一叛亂團體，或一中央政府、一地方政府的『一個中國』內部關係」，此一所謂「兩國論」，讓大陸更加認定李登輝是採取台獨路線。2000 年，政治立場上傾向台獨的民主進步黨候選人陳水扁當選總統，2004 年再次連任，這使得兩岸關係進入新的低潮期，大陸擔憂台灣會真正走向台獨的道路，使得其僑務政策進入到「反獨促統」的時期。

一、僑務政策以「反獨促統」為主軸

此一時期之初的僑務工作強調與「防獨促統」緊密結合，但到了 2000 年由於台灣面臨政黨輪替後，大陸對台工作從「防獨」正式轉變為「反獨」，使得在「反獨促統」與僑務工作相結合的情況下，強調「島外作島內工作、僑胞作台胞工作」。[73]大陸各單位不斷派出說明團與遊說團到海外，向華僑說明其反獨促統政策，提供各種資源協助全球各地的「和平統一促進會」成立，希望透過海外華僑向台灣政府施壓，以彌補其對台工作無法「入島」的問題。

---

[72] 郭瑞華，**中共對台工作組織體系概論**（台北：法務部調查局，2004 年），頁 224。

[73] 田雛鳳，「江澤民僑務思維及政策之研究」，頁 89。

二、僑資的投入區域有所改變

此一時期的華僑經濟參與，主要是依據大陸的總體經濟政策，將華僑投資地區從沿海地區轉向中、西部地區。

（一）將僑資引向西部地區

大陸從 1980 年代開始的經濟發展，基本上是採取「區域傾斜」的沿海開放政策，從點（4 個經濟特區）、線（14 個沿海港口城市）到面（5 個經濟開發區與 2 個半島經濟開發區）的一系列發展，[74]雖然經濟得以突飛猛進，但也造成了區域發展的失衡現象。在鄧小平當初「讓一部分人先富起來」的口號下，改革開放 20 多年的結果是各地區貧富差距日益嚴重，許多「老、少、邊、窮」地區，「人口結構老化、經濟資源稀少、地理位置偏遠、人民生活窮困」的惡性循環情況不斷重演，並且相互滲透，其中尤其以西部地區最為嚴重。當東南沿海正在享受改革開放後經濟起飛的果實時，西部地區的經濟情況卻未見起色，反而因為勞動力外移造成競爭力的進一步衰退。

鄧小平在 1988 年時，提出了所謂「兩個大局」的策略，強調當東部沿海地區經濟達到小康時，就必須要去幫助中西部的發展，因此從 90 年代開始展開所謂的「三沿」策略，也就是經濟發展朝著「沿海、沿江、沿邊」來推行，如此使得外資的引進也逐漸朝內陸來拓展。

---

[74] 高長，「大陸現階段外資政策評析」，**貿易雜誌**，第 82 期（2001 年 8 月），頁 19-23。

1999 年 6 月 17 日，江澤民首次提出了西部大開發這個概念，[75] 11 月中旬中共中央召開的「中央經濟工作會議」，西部大開發的實際構想獲得確立;2000 年 3 月 15 日九屆人大四次會議所通過的「十五計畫」，正式確立了西部大開發的發展策略。然而要進行西部大開發卻是知易行難，招商引資必須具備相當的配套條件，尤其是公共建設方面，在中央財政資源有限而地方財政又困窘的情況下，籌措足夠資金相當困難，即使資金順利籌措要使投資環境達到沿海地區的水平，實屬不易。在此情況下，外資與台資在初期要引進其機會甚為有限，唯有透過華僑的民族意識與愛國心才可能有所突破，因此希望僑資能扮演「領頭羊」的角色，將投資從東部地方轉向西部，以加強西部的經濟發展。

（二）繼續強化華僑投資之法令

1995 年 9 月 4 日大陸發布「中外合作經營企業法實施細則」，[76]1996 年 7 月 9 日發布「外商投資企業清算辦法」，[77]1999 年 6 月 25 日發布「外商投資商業企業試點辦法」，[78]2001 年 12 月 10 日發布了「外商投資電信企業管理規定」，[79]2002 年 2 月 11 日發布「指導外商投資方向規定」，[80]2003 年 1 月 30 日發布「外商投資創業投資企業管理辦法」。[81]由於大陸反對雙重國籍，僑商在法律上

---

[75] 杜平，**西部大開發戰略決策者若干問題**（北京：中央文獻出版社，2000 年），頁 44。

[76] 該細則由對外貿易經濟合作部發布。

[77] 該辦法由對外貿易經濟合作部發布。

[78] 該辦法由國家經濟貿易委員會與對外貿易經濟合作部發布。

[79] 該規定由國務院發布。

[80] 該規定由國務院發布。

[81] 該規定由對外貿易經濟合作部、科學技術部、國家工商行政管理總局、國

與外商無異，因此上述相關法令對於規範與保障華僑投資方面，具有具體之效果。

三、僑務工作日趨多元

面對二十一世紀的到來，以及大陸綜合國力的提昇，此一時期的僑務實際工作，展開了有別於過去的作法。

（一）採取僑務「五新」工作

2004 年 7 月，大陸國務院的常務委員會指出，僑務將採取「五新」的工作方向，所謂「五新」為：年輕的新生代，傳統及宗教社團中年輕的新力量，知名人士及企業家新接班人，新華僑中的青年新骨幹，社會、經濟、文化及專業科技新菁英。[82]可見大陸在二十一世紀對於僑務工作的對象，已經從過去的老華僑，轉變為年輕族群的華僑後裔、新華僑、陸僑與港僑。

（二）展開國際華語教學戰略

近年來，隨著大陸綜合國力的日益增強和國際交流的不斷發展，不但中華文化日益受到世界各國的關注，全球更興起了學習中文的熱潮。當前，學習華文的外國人已達 3,000 萬人，約有 100 多個國家之 2,300 餘所大學開設中文課程；[83]而華僑與華僑子弟對於華文的學習，除了感受到這股熱潮而需求殷切外，更有歷史與文化

家稅務總局、國家外匯管理局發布。

[82] 田雛鳳，「江澤民僑務思維及政策之研究」，頁 37。

[83] 賈海濤、石滄金，**海外印度人與海外華人國際影響力比較研究**，頁 218。

傳承的意義，因此海外華文教育的受教對象也包含廣大華僑。在此情況之下，2002 年「國家漢語辦公室」開始推動國際華語教學的計畫，相關詳細論述將於第四章另行探討。[84]

肆、多維開展時期（2006 年之後）

2005 年 3 月 13 日所召開的十屆全國人大三次會議，除了選出胡錦濤為中華人民共和國中央軍事委員會主席外，亦表決通過「反分裂國家法」。此時，胡錦濤已經分別擔任中共中央政治局總書記、國家主席、黨軍委主席與國家軍委主席等四大職務，完全掌握黨、政、軍三大權，正式宣告胡錦濤第四代領導人時代的來臨。在胡錦濤的主導下，兩岸關係雖然依舊嚴峻，「反獨促統」的僑務政策並未改變，但他透過「反分裂國家法」使得大陸解決台獨問題開始走向「法律化」發展，基本上只要台灣不超越該法的範疇，大陸則無須隨台灣政治人物之言行或島內政情變化而起舞，除可增加自身對於台灣問題的主導性外，更可好整以暇的處理其他課題。這使得大陸如火如荼的「反獨促統」僑務政策，在「反分裂國家法」通過後出現轉變，也就是走向「多維發展時期」，其具體內容如下所述：

一、採取多元之僑務發展策略

此一時期大陸在僑務政策方面，強調全方位的貫徹政治、外交、經貿、文教與反台獨為一體的多元僑務政策，此有別於過去單一發展目標與作為的政策方向。

---

[84] 田雜鳳，「江澤民僑務思維及政策之研究」，頁 49。

二、結合「和平世界」與「大國外交」之外交政策

在「多維開展」的僑務政策階段，其與外交政策的關聯，可以從以下之面向來加以探究：

（一）符合「和平發展」與「和諧世界」之外交戰略

為了因應國際間之「中國威脅論」聲浪與隨之而來的可能圍堵，2003 年 1 月 30 日，中共總書記胡錦濤作出批示，要求「就中國的和平崛起道路問題開展研究」；[85]前中共中央黨校常務副校長、中國改革開放論壇理事長鄭必堅於同年 11 月 3 日於「博鰲亞洲論壇」上發表了名為「中國和平崛起新道路和亞洲的未來」的演講，首次全面介紹了中國「和平崛起」的要義與思想。[86]

由於和平崛起的「崛起」一詞，讓國際有威脅之感，因此 2004 年 3 月 7 日，時任大陸外交部部長的李肇星在十屆全國人大二次會議記者會上，將「和平崛起」的說法轉變為「和平發展」。他說：「中國發展本身就是對全世界和平與發展的最大貢獻。中國發展的最大特點就是『和平發展』，我們不使用過去殖民主義強國或者帝國主義列強那種掠奪別人、欺負別人、剝削別人的辦法，我們靠的是和平發展，我們走的路就是維護世界和平，積極參與平等互利合作、促進共同發展。西方一些有眼光的學者也已經指出，中國的和平發展給鄰國、給全世界帶來的不是障礙、不是威脅，而是機遇」。[87]

---

[85] 康紹邦，「中國和平崛起新道路思考」，**中國評論**，第 75 期（2004 年 3 月），頁 10-13。

[86] 胡宗山，**中國的和平崛起：理論、歷史與戰略**（北京：世界知識出版社，2006 年），頁 1-15。

[87] 「全國人大政協十屆二次會議時實報導」，新華網，2008 年 2 月 24 日，請參

2005 年 4 月，胡錦濤在雅加達參加「亞非峰會」時指出，「亞非國家應推動不同文明友好相處、平等對話、發展繁榮，共同構建一個和諧世界」，這是「和諧世界」的理念首次在國際間被大陸領導人所提出；同年 9 月，胡錦濤在聯合國總部發表演講，全面闡述了「和諧世界」的內涵，強調以非意識形態和非對抗的方式與各個國家進行對話，進而尋求解決國際問題的途徑，強調國際關係行為體應採取理性、道德和規範的行動，有助於推動實現國際社會的共同安全與繁榮，保護世界文明的多樣性。[88]

基本上，從「和平崛起」、「和平發展」到「和諧世界」，字面上來看大陸對外展現的侵略性逐漸趨弱，並希望以「和諧世界」的理念來化解「中國威脅論」。而對於胡錦濤「多維開展時期」的僑務政策來說，與「和諧世界」的外交理念可說是相互契合，藉由華僑這個渠道，向國外散播中華文化與漢字華語，讓更多人從認識中國、瞭解中國到支持中國，讓各方體認中國是愛好和平的民族與永不稱霸的決心，以使大陸的對外關係更趨合諧。其次，透過華僑力量的「反獨促統」，可以藉由「海外民意」對於台灣形成壓力，以避免在台獨問題上操作過頭，引發兩岸關係的緊張，這對於大陸當前需要和諧環境來發展經濟甚為重要，而大陸也可將自己形塑成「和諧的締造者」。第三，透過華僑的力量對於第三世界國家進行投資、採購與經濟援助，如此將促使亞、非、拉等開發中國家的經濟發展，例如大陸近年來對非洲投入鉅資，包括投資 30 億美元開發加蓬的鐵礦石、23 億美元購買尼日的油氣田、投資 83 億美元用於尼日鐵路建設、取消 109 億美元的非洲

考 http://big5.xinhuanet.com/gate/big5/www.xinhuanet.com/zhibo/20040306b/wz.htm。

[88] 「和諧世界理念發展歷程」，文匯報網站，2008 年 2 月 24 日，請參考 http://paper.wenweipo.com/2007/10/14/CH0710140011.htm。

債務，[89]這充分顯示大陸並非稱霸第三世界，而是協助其發展與繁榮，以促進全球的和諧與和平。

（二）「大國外交」的逐漸展現

隨著蘇聯垮台與冷戰結束，冷戰時期美俄兩極主導之情勢出現變化，大陸深知 90 年代開始「關係複雜化、集團鬆散化、外交多邊化、合作區域化」的時代已經來臨，就綜合國力而言世界將出現以美國、俄羅斯、歐盟、日本與中國等 5 個主要力量，呈現「多極」局面，鄧小平在 1990 年時曾經指出：「世界格局將來是三極也好，四極也好，五極也好……所謂多極，中國怎麼也算一極」。[90]在此情況下，「大國外交戰略」隱然成形，大陸一方面將自己列入大國之林，另一方面在獨立自主原則下積極與大國發展關係，並且利用大國間的矛盾在合縱連橫中維持權力平衡。其最主要目的是希望藉由聯合俄羅斯、歐盟等大國，並以大陸大國之地位領導第三世界國家，分進合擊的透過「均勢戰略」來制衡美國，以牽制美國一極獨霸之地位，並持續壓縮我國之國際生存空間。大陸在大國外交的發展政策下，為了充分展現其走向國際的實力，在僑務工作上開始從「國內僑務」轉變為「國外僑務」。

---

[89] 鄧瑾，「向西 25000 里：非洲夢、中國夢」，新浪網，2008 年 2 月 24 日，請參考 http://magazine.sina.com.hk/nfweekend/000/2007-07-26/00108813.shtml。莉雅，「中海油收購尼日利亞油田股份」，美國之音中文網，2008 年 2 月 24 日，請參考 http://www.voafanti.com/gate/big5/www.voanews.com/chinese/archive/2006-01/w2006-01-09-voa74.cfm。

[90] 展望與探索雜誌社編，**中國大陸綜覽**（台北：展望與探索雜誌社，2003 年），頁 152。

（三）「軟實力」與「文化外交」的日益凸顯

奈伊（Joseph S. Nye）在 1990 年提出了「軟實力」（soft power）的概念，其定義為「是影響他國意願的能力與無形的權力資源」，一個國家的國際地位並非僅靠科技、軍事、經濟等硬實力（hard power）來展現，包括文化、意識型態、制度與國家凝聚力等軟實力日益重要。軟實力與硬實力並非對立與矛盾，軟實力依託於硬實力而逐步增長，硬實力也必須基於軟實力才能使效應最大化。當前，所謂軟實力嚴格來說可以分成四大要素，分別是政治力、外交力、文化力與社會力。[91]其中的政治力是指一個國家的政治體制、國家戰略、政府素質、國民凝聚力等綜合能力；外交力是指國家利益的實現能力、國家戰略的貫徹能力、全球公共財的提供與運用能力；文化力是指文化之競爭力、投射力與資訊力；社會力則是指社會的和諧程度、社會可持續發展能力與社會發展水準。[92]

另一方面，與上述文化力有密切關聯的「文化外交」（cultural diplomacy），是指由一國政府所從事帶有濃厚政治色彩的對外文化交流行為，此最早是由美國外交史學家特納（Larf Turner）於 1940 年代所提出，寧科維奇（Frank Ninkovich）予以系統化的闡述與發展。[93]當前，文化外交的重要性與日俱增，歐洲國家多將此稱為「第三外交」，而與政治外交、經濟外交並列；德國前外交部長伯蘭特

---

[91] 胡鍵，「中國軟力量：要素、資源、能力」，劉杰主編，**國際體系與中國的軟力量**（北京：時事出版社，2006 年），頁 116-133。

[92] Joseph S. Nye, “Soft Power”, *Foreign Policy*, issue 80 (Fall 1990), pp.153-171. Joseph S. Nye, “The Changing Nature of World Power”, *Political Science Quarterly*, Vol.105, No.2(1990), pp.177-192.

[93] 李智，**文化外交：一種傳播學的解讀**（北京：北京大學出版社，2006 年），頁 1。

（Willy Brandt）在 1966 年時就把文化關係稱為對外政策的「第三根支柱」（the third pillar），美國則把文化外交稱之為「第四外交」，與政治、經濟、軍事外交齊名[94]。基本上，文化外交所展現的方式與途徑，除了以文學與藝術作為核心內容外，舉凡人員交流、教育交流、科技交流、語言教學、廣播電視講座、圖書交換、作品展覽、資訊諮詢服務等亦包括在內。[95]

以胡錦濤時期大陸的僑務工作來說，在政治力方面，其僑務政策與外交、兩岸關係所結合而成的整體戰略，可以利用不同的僑務工作體系來凝聚全球華僑的向心力與認同感，進而達到政治目的；在外交力方面，透過華僑力量來促進與其他國家間的外交關係；而在文化力方面，除藉由華僑對外進行文化輸出外，更以孔子學院推動漢語教學，誠如「中國國家漢語國際推廣領導小組辦公室」（以下簡稱「國家漢辦」）主任許琳指出「國家強則文化盛，國家強則語言強。海外通過漢語學習中國文化、瞭解當代中國的需求十分迫切，孔子學院已成為體現中國『軟實力』的最亮品牌」，[96]因此不論文化輸出還是漢語教學，都是「文化外交」的範疇。至於在社會力方面，僑務工作若能完善，則在大陸內部的僑眷、僑屬的權益獲得充分保障，有助於其社會的和諧；而華僑大力在大陸投資，引進先進的科技知識與管理技術，可以提昇其經濟發展與知識水平，進而使得大陸社會產生可持續發展的動力；華僑投資也可提供大陸民眾大量的就業機會與提高收入所得，對於「和諧社會」的促進也有正面效果。

---

[94] 李智，**文化外交：一種傳播學的解讀**，頁 17。

[95] 李智，**文化外交：一種傳播學的解讀**，頁 17。

[96] 「孔子學院掀起熱潮，日語中心急起直追」，雅虎新聞網，2008 年 2 月 9 日，請參考 http://tw.news.yahoo.com/article/url/d/a/070123/17/9pg4.html。

三、對於海外移民採取開放態度

大陸目前是世界上人口最多的國家，2008 年統計為 13.28 億人，[97]在此龐大的人口壓力下，造成的問題包括糧食與飲水短缺、能源消耗過大、就業不易、生活空間不足、社會競爭激烈等，所以除了從 1979 年積極推動「一胎化」政策外，海外移民也成為降低人口壓力的方式之一。因此，從改革開放以來，一改過去的鎖國政策，對於出國留學大幅放寬限制，這些留學生在學業完成後大多留在當地就業，進而獲得居留權而成為華僑；而對於能夠獲得他國工作簽證者，大陸官方則給予許多的行政便利，這其中包括具有專業知識與技能的中產階級，以及提供廉價勞動力的工人。根據大陸中國新聞社在 2009 年所發布的「2008 年世界華商發展報告」中指出，從 1978 年大陸改革開放以來至 2009 年，直接從大陸移居海外的陸僑達 600 萬人；其中從 2000 年至 2009 年，美國華僑人數從 200 萬人增加到約 400 萬人，日本從 17 萬人增加到 70 萬人，法國則從 30 萬人增加到 70 多萬人。[98]以日本為例，近年來因出生率下降，社會快速高齡化，為解決勞力短缺問題，不得不揚棄長久以來的排外心態與嚴格移民限制，開始大量引進大陸的高學歷人才；2007 年時大陸在日本的合法移民人數超過了 50 萬人，成為日本最大新移民族群，估計在 2012 年將達到約 100 萬人。[99]

---

[97] 「中國人口現況」，中國政府網網，2009 年 12 月 26 日，請參考 http://www.gov.cn/test/2005-07/26/content_17363.htm。

[98] 大陸新聞中心，「海外華人，將破 4800 萬」，聯合報網站，2009 年 2 月 3 日，請參考 http://udn.com/NEWS/MAINLAND/MAI2/4714553.shtml。

[99] 陳世欽，「跨國獵人頭，中國人才赴日搶灘」，聯合報網站，2008 年 2 月 6 日，請參考 http://udn.com/NEWS/WORLD/WOR4/4131521.shtml。「華商大會給華人帶來哪些期待」，人民日報海外版，2008 年 2 月 10 日，請參考

另一方面，藉由偷渡方式前往他國尋求工作機會的民眾也為數可觀，其中以福建、廣東等沿海地區民眾居多，大陸官方表面上是嚴厲打擊，但事實上卻是「睜一隻眼、閉一隻眼」，目前大陸已經是美國境內僅次於墨西哥的第二大非法移民國，預估自 1980 年以來，有超過 50 萬的大陸人偷渡至美國。[100]鄰近的日本也有 3 萬多名大陸非法移民；[101]甚至遠在歐洲的義大利也有 1 萬多大陸人非法居留，[102]這也使得因為偷渡造成的意外事件不斷發生。

因此，無論是合法或是非法的途徑，由於大陸民眾大量的移出，都使得海外華僑的人數快速增加，也使得僑務工作的重要性與日俱增。

四、僑務工作結合中國大陸綜合國力

隨著大陸成為全球重要之政治、經貿、外交、軍事、人口、科技、生產與體育的大國，其綜合國力也不斷增加，因此與僑務工作產生了緊密結合。

（一）藉由綜合國力推動僑務工作

藉由大陸綜合國力之提昇而所產生的豐富資源，包括人力、物力與財力，來挹注與支持僑務工作。

---

http://big5.xinhuanet.com/gate/big5/news.xinhuanet.com/newscenter/2007-09/11/content_6701141.htm。

[100] 楊蕙菁，「美開放中國觀光團簽，不忘看緊門戶」，**商業週刊**，第 1049 期（2007 年 12 月），頁 172-174。

[101] 陳世欽，「跨國獵人頭，中國人才赴日搶灘」，聯合報網站，2008 年 2 月 6 日，請參考 http://udn.com/NEWS/WORLD/WOR4/4131521.shtml。

[102] 法新社，「米蘭中國城華人與警方衝突，震驚義大利全國」，雅虎新聞網，2008 年 2 月 8 日，請參考 http://tw.news.yahoo.com/article/url/d/a/070413/19/cw1q.html。

（二）藉由華僑協助大陸提昇綜合國力

大陸當前的發展目標不僅要成為「大國」，更要成為「強國」，但事實上作為一個開發中國家，要追趕上這些已開發國家仍有差距。因此如何透過華僑的力量，儘快縮短此一差距就相當重要。其中，透過華僑以獲得各種高科技或軍事機密便是最快速而直接的作法。例如 2008 年 2 月，美國司法部宣布破獲兩起間諜案，四位涉案人都是為大陸竊取軍事與科技機密，其中華僑郭台生接受同為華僑的康雨新委託，向美國國國防部官員柏格森（Gregg W. Bergersen）取得多項有關軍售台灣的機密資料，再由康雨新轉交給大陸；另一起案件，亦是華僑鍾東凡，被控在洛杉機從國防承包商竊取美國的太空梭、運輸機與「三角洲四型」載重火箭等多項機密，並提供給大陸。[103]

（三）藉由綜合國力提高華僑地位

當前海外華僑雖然在各國擁有相當的經濟實力，但卻因此遭致當地民眾甚至是政府的嫉妒與敵視，因此在華僑的政治權利上予以限制，而成為所謂「經濟巨人、政治侏儒」的反差現象，這尤其以東南亞最為明顯。例如印尼在蘇哈托執政期間排華嚴重，1998 年的「五月排華」事件造成 1,000 多位華人死傷；馬來西亞法律中亦充滿歧視華人人權之規定，華人不論在參政權與受教權上都遠不及馬來人。但近年來，隨著大陸綜合國力的提昇並積極參與東南亞國

[103] 劉屏，「抗日名將薛岳女婿郭台生扮共諜在美被捕」，中時電子報網站，2008 年 3 月 18 日，請參考 http://news.chinatimes.com/2007Cti/2007Cti-News/2007Cti-News-Content/0,4521,110501+112008021300085,00.html。

協（以下簡稱東協）之相關事務，包括從 1994 年開始參與「東協區域論壇」（ASEAN Regional Forum, ARF）、2001 年提出「東協—中國自由貿易」（Free Trade Agreement,FTA）構想（於 2010 年 1 月 1 日正式實施）、[104]2002 年雙方還簽訂了「中國與東協全面經濟合作框架協定」，2003 年 10 月簽署「東南亞友好合作條約」與「中國—東協戰略伙伴關係聯合宣言」，[105]如此都使得東南亞華僑的地位也獲得提昇，華僑遭到歧視與限制的情況因而改善，華僑權益獲得更大保障，由此可見當前華僑已經成為僑居國與大陸聯繫的重要渠道。

五、對僑居國政治影響採多層次形式

大陸積極藉由海外華僑的力量，透過多層次的方式來影響僑居國的中國政策與政治運作，其具體作為如下：

（一）透過華僑建立與僑居國的政治關係

由於許多華僑在僑居國具有豐厚的經濟實力，進而在政治上的影響力也舉足輕重，例如華僑贊助與支持某些政治人物及政黨，或者華僑子弟也日益參與僑居國的高層次政治事務，這都使得大陸積極透過海外華僑的豐沛人脈，來建立與他國高層政治人物的關係，進而可能影響僑居國的中國政策。以美國為例，在 2001 年被美國總統小布希任命的勞工部長的趙小蘭，從 1988 年擔任美國航運委員會主席，成為當時美國聯邦政府中職位最高的華人，1989 年被布希總

[104] **中國時報**，2004 年 5 月 22 日，第 A13 版。

[105] 林佳龍主編，**未來中國：退化的極權主義**（台北：時報文化出版公司，2004 年），頁 230-231。

統政治任命為交通部副部長，由於其父與江澤民有同窗之誼，因此與大陸的關係也甚為密切。[106]又例如由於近年來加拿大的華人移民快速增加，因此在 1998 年，華僑利德蕙獲得該國首相欽點任命為國會上議員，成為首位華人議員，她積極致力於女權和族裔平等。[107]

（二）透過華僑影響僑居國選情

隨著近年來大陸移民（即本文所謂陸僑）的增加，各國華僑的人數迅速提昇，例如根據美國國土安全部 2008 年的統計資料顯示，2007 年共有 76,655 名大陸公民獲得美國綠卡，獲卡數量僅次於墨西哥；[108]而根據加拿大政府統計局 2008 年的公布資料顯示，境內的華裔人口為 120 萬，僅次於南亞裔，占加拿大總人口 3,400 萬的 3.9%。[109]因此當他們逐漸獲得僑居國的公民權後，便成為該國政治人物與政黨不可忽視的「票源」。而大陸也發現華僑對於他國政治選舉的重要性與日俱增，因此也會透過管道影響華僑的投票傾向。例如 2007 年 11 月所舉行的澳洲國會大選，由陸克文（Kevin Rudd）所領導的工黨，擊敗了已執政 12 年而由霍華德（John Howard）所領導的自由黨。工黨獲勝的原因非常複雜，但其中一個相當重要的因素，是獲得近年來影響力日增的華裔選民支持。首

---

106 「趙小蘭」，維基百科網，2008 年 4 月 12 日，請參考 http://zh.wikipedia.org/wiki/%E8%B6%99%E5%B0%8F%E8%98%AD。

107 「利德蕙：加國首位華裔上議員，微笑是她的武器」，雅虎新聞網，2008 年 2 月 28 日，請參考 http://tw.news.yahoo.com/060623/195/3a3ab.html。

108 林克倫，「愛當『美』人，大陸去年 7.6 萬人獲綠卡」，中時電子報網站，2008 年 4 月 18 日，請參考 http://news.chinatimes.com/2007Cti/2007Cti-News/2007Cti-News-Content/0,4521,110505+112008040600014,00.html。

109 張若霆，「加有色人種超過五百萬，華人居第二」，雅虎新聞網站，2008 年 4 月 18 日，請參考 http://tw.news.yahoo.com/article/url/d/a/080403/5/wlm4.html。

先，由於陸克文說著一口流利的中文，這使得華裔選民備感親切；其次，2003 年胡錦濤訪問澳洲，陸克文因對胡錦濤使用中文交談，而讓胡錦濤感到驚訝，也因此 2007 年 9 月胡錦濤前往澳洲參加亞太經濟合作會議（Asia Pacific Economic Cooperation, APEC）時，兩人不但舉行正式會談，陸克文還強調將大力推進與大陸的雙邊關係；[110]第三，在霍華德自己的選區中，亞裔人士的比例高達 25%，但他們多數對於自由黨保守的移民政策不滿，而工黨所提倡的無歧視性移民政策則受到青睞，這使得同一選區的工黨候選人麥嬌（Maxine Mcken）因爭取到關鍵性的亞裔選票而獲勝；第四，在 1989 年因「六四事件」而留在澳洲的華人，均感念工黨當年在他們的居留問題上付出心力，因此也大力支持工黨。[111]事實上，近年來大陸已經成為澳洲最重要的新興貿易夥伴，但在政治上澳洲一向親美，霍華德政府甚至還支持美國攻打伊拉克，因此陸克文的親中傾向自然受到大陸的肯定與支持，胡錦濤在大選前毫不避諱與僅是候選人的陸克文舉行正式會談，讓陸克文出盡鋒頭就是明證，而透過海外僑務體系來鼓勵華僑支持陸克文，也是可以預期到的。

（三）鼓勵華僑參與僑居國之各種政治選舉

對於大陸來說，若有更多華僑參與僑居國的政治事務，則對於其與該國的外交關係必然有正面效果，也因此對於華僑參與選舉，

---

[110] 墨爾本先驅太陽報，「陸克文流利的中文搶盡了風頭」，博訊新聞網，2008 年 1 月 28 日，請參考 http://www.peacehall.com/news/gb/intl/2007/09/200709071350.shtml。

[111] 梁宇，「中國通陸克文入主澳洲坎京」，新紀元週刊網站，2008 年 1 月 28 日，請參考 http://mag.epochtimes.com/050/4024.htm。「澳洲工黨領袖陸克文獲不少華人支持」，亞視新聞網站，2008 年 1 月 28 日，請參考 http://www.hkatvnews.com/v3/share_out/_content/2007/11/23/atvnews_111496.html。

多持肯定與支持的態度。例如現任美國商務部部長的駱家輝，曾當選華盛頓州眾議員長達 12 年，1996 擊敗共和黨對手當選華盛頓州州長，成為美國有史以來第一位華人州長，當 2002 年胡錦濤訪問美國而與駱家輝見面時，稱讚其「長期以來為發展中美關係作出了積極的貢獻」；[112]2007 年 12 月宣誓就任印尼西加里曼丹省山口洋市市長的 45 歲華僑黃少凡，是該國歷史上首位華人市長，山口洋市是印尼華人最多的城市，許多嫁到台灣的印尼新娘也都出於此處。[113]因此，隨著許多華僑當選僑居國政治職位的人數增加，除了顯示華僑這個少數族群，能夠獲得僑居國多數民眾的支持外，更顯示華僑在僑居國的政治實力，不僅是過去「由上而下」的政治酬庸或象徵意義，而是來自基層民眾「由下而上」的深厚權力基礎。

（四）整合海外華僑社團與民意

2007 年法國電視台不斷播出有關當地華僑的負面資訊，除了中餐館不符國家衛生條件與大陸的商業間諜案外，亦揭開了華裔族群的黑社會組織、洗錢、賭博、妓女、槍械、毒品等內幕，甚至指出在法國的華裔是只知賺錢的群體，而拒絕融入法國社會，也完全不遵守法國的法律。節目播出後，引起法國華僑的憤怒，他們認為節目以偏概全而試圖抹黑華裔社會。華僑社團在獲得大陸駐法使館領事部主任施月根參贊與李京生一等祕書的支持下，決議以示威方式爭取權益。[114]又例如 2007 年 4 月，義大利米蘭一處華人區發生

[112] 「駱家輝」，人民網，2008 年 4 月 12 日，請參考 http://unn.people.com.cn/BIG5/22220/39486/39498/3077227.html。

[113] 梁東屏，「印尼誕生史上首位華人市長」，中時電子報網站，2008 年 1 月 31 日，請參考 http://news.chinatimes.com/2007Cti/2007Cti-News/2007Cti-News-Content/0,4521,110504+112007122000514,00.html。

[114] 蔡筱穎，「法臥底報導抹黑亞裔，華人共憤」，中時電子報網站，2008 年 1

警察毆打華人孕婦案，引發當地上千名華僑聚眾抗議，甚至與警方發生肢體衝突，大陸駐義大利總領事張利民立即緊急約見米蘭市長，要求妥善處理此事；在北京的外交部發言人秦剛更要求義大利認真考慮華僑合理要求，保護華僑正當、合法權益。[115]

由此可見，大陸憑藉其外交力量與國際地位，以其大使館為平台，匯集與協調華僑意見而向僑居國政府表達。這正是我國在與多數國家無正式邦交的情況下，所無法施展的項目，也使得海外華僑甚至是台僑，認為大陸政府與大使館可以充分保障其權益，因而對於大陸產生好感進而支持。

六、僑商協助中資走向國際

從 1978 年改革開放以來，僑資一直是大陸外資的重要來源，不但對於大陸的經濟發展貢獻良多，更引進新的科學技術與管理知識。但是到了二十一世紀後，大陸對於僑資的利用也有了多方位的發展：

月 31 日，請參考 http://news.chinatimes.com/2007Cti/2007Cti-News/2007Cti-News-Content/0,4521,110505+112007122000083,00.html。

[115] 此一事件的遠因是 2007 年 2 月開始，米蘭當局推出限制使用手推車措施，引起當地華人不滿，因為義大利全境都允許手推車上路，只有在華人區遭到禁止。結果米蘭警方在華人區採取包括罰款、檢查、沒收等多種限制性手段，使得原本繁華的華人商業區變得冷清。4 月 12 日上午 11 點左右，一名華人孕婦正要將手推車停靠路邊卸貨，一名警察即上前制止，並對該婦女作出罰款、沒收執照等處罰。這名警察甚至口出「華人就像狗一樣」等辱罵性語言，該婦女據理力爭，但遭到警察毆打。遭到毆打的華人婦女不但懷孕，手上還抱著一個兩歲三個月大的小孩。此一事件激發當地多達 350 人左右的華人聚集抗議，隨後演變成華人與警察間的衝突，執勤警車玻璃被打破；防暴警察趕到現場處理，又再度發生肢體衝突。「義警毆華婦爆衝突中共提交涉」，中時電子報網站，2008 年 2 月 8 日，請參考 http://news.msn.com.tw/news33878.aspx。

（一）由僑資「引進來」轉變為中資「走出去」

1984 年，「中國國際信託投資公司」以 4,000 萬人民幣在美國投資了「西林公司」，而成為「中國第一家跨國公司」；[116]加上 90 年代隨著其他外資的大舉進入大陸，使得「僑資走進來」的重要性不若以往，反倒是「中資走出去」日益重要。尤其當大陸成為全球外匯存底最高的國家，也開始調整過去保守的資金管理政策，從「資本進口國」轉為「資本出口國」，逐漸在國際資本市場進出，國企也開始收購歐美企業，如此不但增強了自身實力，也為全球併購交易市場注入新的資金與活力。也因此，在 2007 年，大陸又成立了註冊資本金高達 2,000 億美元的「中國投資公司」。[117]

但事實上，當前大陸的對外投資，也出現了若干問題，首先是投資目標不明確，缺乏合理的投資規劃，許多海外企業僅是國企在外的「接待站」，因而效益有限，而盲目投資與風險評估也相當欠缺，例如大陸「三九集團」在 1993 年投資馬來西亞的藥品廠，因不知藥品需經過回教組織的認可，因而造成投資失敗；其次，是投資區域過於集中，光是港澳地區就占了 37.1%，若加上美國、澳洲、加拿大、德國與日本等已開發國家的投資，占海外投資的 70%以上；第三是海外投資的規模較小，融資能力有限，而抵抗風險的能力不足，大陸平均每個海外企業的投資額是 116.3 萬美元，已開發國家為 600 萬美元，至於大型跨國公司平均則達到 6,000 萬美元。[118]

---

[116] 談蕭，**中國走出去發展戰略**（北京：中國社會科學出版社，2003 年），頁 524。

[117] 林則宏，「溫家寶：中投海外投資籌碼僅 700 億美元」，經濟日報網站，2008 年 2 月 22 日，請參考 http://udn.com/NEWS/FINANCE/FINS2/4187353.shtml。

[118] 談蕭，**中國走出去發展戰略**，頁 527-528。

這使得華僑剛好可以扮演中資與國企的「領頭羊」角色，透過華僑與大陸企業自改革開放以來近 30 多年的合作經驗與互信基礎，充分利用華商在國外的財力、行銷與人脈網絡，以及對於當地經營環境與制度法令的詳細瞭解，協助中資與國企能夠走向國際。以印尼來說華人僅占總人口約 2%，卻擁有國內私人資本近 70%，最大之 25 家企業中占有 17 家；泰國華人約占總人口 10%，在前 10 大商業集團中占有 9 家，甚至創造該國一半之國內生產毛額；馬來西亞華人約占總人口三分之一，卻幾乎主宰該國經濟；華人占菲律賓總人口約 1%，卻占國內企業銷售總額的 35%。[119]因此，大陸可以直接透過華僑的力量，進行東南亞地區的經貿與投資布局。

（二）透過世界華商大會整合全球華商

1990 年政治傾向大陸的新加坡中華總商會、香港中華總商會和泰國中華總商會聯合倡議，在原本區域性華商聯誼會的基礎上，每兩年舉行一次「世界華商大會」（World Chinese Entrepreneurs Convention, WCEC），以促進各地華商間的交流與合作。基本上，世界華商大會是參考了我國僑委會每二、三年在海內外所舉行之「世界華商經貿會議」，大陸希望藉此充分整合與利用全球華商的力量。

「世界華商大會」的發展日益受到國際矚目，不但各主辦國元首不敢輕怠，當地企業更是全力支持。該大會表面上由新加坡中華總商會、香港中華總商會及泰國中華總商會的會長擔任召集人，並輪流擔任大會秘書處以負責行政事宜，[120]但實際上與大陸官方的關聯卻甚為深厚。除了各總商會在政治立場上傾向北京外，更與中共

---

[119] 程光泉，**全球化與價值衝突**（長沙：湖南人民出版社，2003 年），頁 134-164。

[120] 第一屆秘書處由新加坡中華總商會自 1999 年 10 月起擔任，2005 年 10 月，香港中華總商會接任成為第二屆秘書處，為期 6 年。

統戰部外圍組織的「中華全國工商業聯合會」(以下簡稱「全國工商聯」)具有密切聯繫，因此每次大會舉辦時，「全國工商聯」均派出龐大代表團。[121]而在 2007 年的第九屆大會中，大陸更派出了統戰工作最高單位的領導人全國政協主席賈慶林代表參加，顯示出大陸當前僑務與海外統戰工作中，經貿議題的重要性。

七、透過華僑輸出華文教育

在全球化的發展下，對於多元文化的存在與接受成為主流，因此中華文化受到世界各國的關注，加上隨著大陸綜合國力的增強和國際交流的發展，全球更興起了學習中文的熱潮。當前，學習中文的外國人已達 3,000 萬人，約有 100 多個國家之 2,300 餘所大學開設中文課程；[122]以美國為例，總統布希在 2006 年 1 月 5 日在宣佈在其「國家安全語言計畫」(the national security language initiative)中，將中文列為「戰略語言」，並在 2006 至 2007 年的財政年度，特別撥款 1 億 1,400 萬美元鼓勵美國民眾學習中文；[123]根據美國國會的外國語言教學調查顯示，2000 年時約有 5,000 名美國中小學生學習中文，2008 年時則超過 50,000 名，增加了十倍。[124]

---

[121] 例如 2005 年 10 月 8 日至 13 日，全國工商聯主席黃孟複率領全國工商聯代表團一行 85 人赴韓國出席了第八屆世界華商大會，並在開幕式上致辭。請參考：全國工商聯，「第八屆世界華商大會」，全國工商聯網站，2007 年 8 月 30 日，請參考 http://www.acfic.org.cn/cenweb/portal/user/anon/page/AcficLiaison_CMSItemInfoPage.page?metainfoId=ABC00000000000005505。

[122] 賈海濤、石滄金，**海外印度人與海外華人國際影響力比較研究**，頁 218。

[123] 徐尚禮，「中文熱，美列戰略語言之一」，中時電子報網站，2008 年 2 月 16 日，請參考 http://news.chinatimes.com/Chinatimes/Moment/newfocus-index/0,3687,9512300461+95123028+0+173430+0,00.html。吳錦勳，「全球小菁英拼中文」，**商業週刊**，第 1057 期（2008 年 2 月），頁 101-108。

[124] 林克倫，「美國少年從小學中文，人氣紅不讓」，中時電子報網站，2008 年

早在 1993 年 2 月 26 日，江澤民在國務院僑務工作會議時就指出：「我們應當充分利用中華文化傳統的優勢，來加強弘揚中華文化的華文教育工作，這是密切我與海外華僑聯繫，擴大我影響的重要途徑」。[125]而在胡錦濤於十六大接班後，除了 2002 年透過教育部下的國家漢辦積極推動國際華語教學戰略外，更親自指示於 2004 年 9 月在國僑辦下成立「中國華文教育基金會」（以下簡稱「華文基金會」），[126]這一方面顯示大陸希望透過「文化輸出」來推動僑務工作的意圖，另一方面也成為胡錦濤時期華僑工作的特色。

當前海外華僑華文教育之發展目標，是根據所謂「五個有利於」，即「有利於海外僑胞傳承保持民族特性，有利於凝聚僑心，有利於在經濟全球化進程中增強海外僑胞自身競爭力，有利於中國走向世界、世界瞭解中國，有利於促進祖國和平統一和世界的和平與發展」，[127]其具體作為包括如下：

（一）教材與師資的規劃

國家漢辦與華文基金會，均負責大陸海外華文推廣與教育之規劃與執行工作，包括華文教材的設計與推廣、華語教師的培訓與派遣、相關活動與營隊的舉辦等。到 2007 年年底為止，大陸已派出漢語教師約 1,500 名，志願者達 2,000 多名，前往世界各地支持當地的漢語教學和華文教育工作。[128]

---

2 月 6 日，請參考 http://news.chinatimes.com/2007Cti/2007Cti-News/2007Cti-News-Content/0,4521,110505+112008020200058,00.html。

[125] 田雛鳳，「江澤民僑務思維及政策之研究」，頁 64、98。

[126] 「華文教育基金會簡介」，中國華文教育基金會，2008 年 2 月 10 日，請參考 http://www.chinaqw.com.cn/news/2005/1012/68/1541.shtml。

[127] 「華文教育基金會簡介」，中國華文教育基金會，2008 年 2 月 10 日，請參考 http://www.chinaqw.com.cn/news/2005/1012/68/1541.shtml。

[128] 「2010 年前中國將建 500 所孔子學院」，新華網，2008 年 2 月 12 日，請

（二）推動漢語水平考試

從 1984 年開始，國家漢辦就積極規劃「漢語水準考試」（HSK），並於 1991 年正式向海外推出，共包括基礎、初中等和高等三個層級，至 2006 年已在全球 42 個國家設立了 178 個考試點，參加考試人數近 70 萬人次，[129]已成為全球華語唯一的測試標準，因此被稱為「華語托福」。

（三）發展孔子學院

國家漢辦，透過與國外大學、漢語教學機構和學術團體簽署合作協議而成立的孔子學院，目前已經在亞洲、歐洲、非洲、大洋洲與北美洲設立，根據大陸教育部國際合作與交流司表示，自 2004 年第一所海外孔子學院在韓國首爾成立後，至 2007 年年底為止大陸已在全球建立了 190 多所孔子學院，計畫在 2010 年前建立 500 所孔子學院。[130]2007 年 4 月 9 日，在國務委員、國家漢語國際推廣領導小組組長、孔子學院總部理事會主席陳至立的揭牌下，「孔子學院總部」正式在北京成立，[131]這顯示在胡錦濤時期，孔子學院扮演文化輸出與華僑教育的角色將更為突出。

參考 http://www.zytzb.org.cn/zytzbwz/newscenter/hlkd/80200711090096.htm。

[129]「漢語考試發展簡介」，國家漢辦，2008 年 2 月 12 日，請參考 http://www.hanban.edu.cn/cn_hanban/content.php?id=2627。

[130]「2010 年前中國將建 500 所孔子學院」，新華網，2008 年 2 月 12 日，請參考 http://www.zytzb.org.cn/zytzbwz/newscenter/hlkd/80200711090096.htm。

[131]「孔子學院總部揭牌儀式在北京舉行」，新華網，2008 年 2 月 20 日，請參考 http://big5.xinhuanet.com/gate/big5/news.xinhuanet.com/politics/2007-04/10/content_5957640.htm。

八、反獨促統與僑務的緊密結合

2004 年陳水扁再次連任後，展開了若干有關台獨的動作，包括於 2006 年將「國家統一委員會」停止運作與將「國家統一綱領」終止適用；2007 年將冠有「中國」字眼的國營企業予以更名，並積極推動台灣加入聯合國的公民投票。

這些舉動當然引發大陸的極度不滿，過去以來北京始終把對台工作視為「內部事務」，因此對於台灣當局的不滿總是直接表態與施壓，例如當 1995 年李登輝赴美訪問後，大陸隨即在 1996 年 3 月在台灣南北兩端進行導彈發射，並對台灣提出嚴厲批判。結果此一文攻武嚇作為不但讓台灣民眾心生反感，更讓李登輝於 1996 年連任總統成功。自此之後，大陸不僅體認到對台工作已是一項複雜的「涉外事務」，更運用其大國外交的實力，防堵台灣在國際社會的任何突破作為。此外，藉由「聯美制台」的「軟圍堵策略」，以避免直接對台灣政府與人民施壓。另一方面，則是透過海外華僑來展現反獨促統的「民意」，由於台灣內部此一反獨促統「民意」並非多數而影響力有限，而大陸內部的此一「民意」又在政府的嚴密掌控下不具正當性，使得海外華僑的「由外而內」民意具有意義。這也使得大陸在海外，不斷向華僑宣達相關立場，並舉辦各種活動來配合。

例如 2006 年 3 月，全國政協主席賈慶林前往馬來西亞訪問，在接觸當地華僑政商代表時特別指出「台灣的終止國統會和國統綱領，很明顯的圖謀『台灣法理獨立』，這是對國際普遍堅持一個中國原則與台灣和平穩定的嚴重挑釁」，並要求「馬華公會」、「中華大會堂總會」等僑社僑領表態反對台獨分裂活動與支持和平統一。[132]

---

[132] 陳毓平，「賈慶林對馬國華社強調兩岸終極目標和平統一」，雅虎新聞

2007 年 6 月，國家主席胡錦濤在會見第四屆「世界華僑華人社團聯誼大會」全體代表時指出，實現中國的完全統一、實現中華民族的偉大復興，是海內外中華兒女的共同心願，也需要海內外中華兒女共同奮鬥。2007 年 9 月，當賈慶林在日本參加世界華商大會第九屆大會的幕式致詞時，還不忘指出「實現祖國的完全統一，是海內外中華兒女的共同心願，也需要海內外中華兒女共同奮鬥。當前，陳水扁當局加緊推動入聯公投、以台灣名義申請加入聯合國等台獨分裂活動，企圖將台灣從中國分割出去，嚴重威脅台海和平……希望廣大華僑華人更緊密地團結起來，堅定維護中華民族的根本利益，堅決反對任何形式的台獨分裂活動，不斷推動兩岸人員往來和經濟文化交流，努力促進祖國統一大業早日完成」。[133]

因此可以發現，當時大陸反獨促統工作與僑務工作的緊密結合，所展現的就是大陸在面對華僑時，上至總書記下至基層僑務工作人員，無不把反獨促統掛在嘴邊而念茲在茲；不論海內與海外的各種華僑相關活動，無不把反獨促統列為活動主軸；各個僑務工作相關體系，無不共同參與相關活動的舉辦。也因此當 2008 年 3 月 20 日，台灣的總統大選結果，國民黨的馬英九大勝民進黨的謝長廷 200 餘萬票，使得「政黨再次輪替」，加上入聯與返聯兩項公投皆無法過關，這對於大陸來說，無疑是其結合海外華僑成功完成反獨促統工作的具體表現。

網，2008 年 2 月 28 日，請參考 http://tw.news.yahoo.com/060331/43/2zoxy.html。

[133] 「賈慶林出席第九屆世界華商大會開幕式併發表講話」，新華網，2008 年 2 月 23 日，請參考 http://big5.xinhuanet.com/gate/big5/news.xinhuanet.com/newscenter/2007-09/15/content_6730103.htm。

第三節　中國大陸僑務政策變遷之意義及交易成本探討

根據前述大陸僑務政策的不同發展與變遷階段，其影響與所代表之意義如下所述：

壹、國內與國外僑務政策的區分

本文認為大陸僑務政策可以區分為「國內僑務」與「國外僑務」兩個階段，基本上從 1949 年中共建政開始至 90 年代為止，大陸的僑務政策與工作是以「國內僑務」為主，政策主軸強調「內向型」，包括增加華僑參政議政機會、安排僑胞回國定居與求學、吸引僑匯與僑資投入大陸的經濟發展，著眼點是鼓勵華僑「引進來」，透過華僑的人力與資本，來厚植大陸的國力。

但從 90 年代開始，國僑辦正式提出「把工作重心轉移到國外僑務工作上來」，[134]也就是強調僑務工作必須從「引進來」轉為「走出去」，增加海外僑務活動頻率與深耕海外僑區。之所以會產生此一「國外僑務」之「外向型」政策轉折，本文認為原因如下：

一、六四事件的影響

1989 年天安門事件後造成大陸對外關係的負面衝擊，為了改善其外在形象與外交關係，與反制海外民運人士的抗議，因此必須積極藉由海外華僑來進行對外聯繫、表達支持與宣傳。

[134] 賈海濤、石滄金，**海外印度人與海外華人國際影響力比較研究**，頁 180。

二、兩岸關係出現緊張

1995 年後兩岸關係出現大幅變化，由於李登輝前總統前往美國康乃爾大學訪問，並發表台灣為「政治實體」的論述，使得大陸認為台灣有走向獨立的趨勢，必須藉由海外華僑協助其「反獨促統」工作。

三、大陸對於僑資的利用策略有所改變

從 1978 年改革開放以來，僑資一直是大陸外資的重要來源，到了 90 年代，隨著其他外資的大舉進入，因此「僑資走進來」的重要性不若以往，反倒是「中資走出去」更為迫切。尤其大陸的國有企業在 90 年代以後積極想要投入國際市場，這使得華僑與其相關企業扮演著中資與國企的中介橋樑。然而這也使得歐美各國開始緊張，美國政府即規定，外國企業或個人收購美國任何公司的股份只要超過 10%以上，就必須接受美國政府的事先審查，甚至是國會聽證；在歐洲，德國總理梅克爾（Angela Merkel）亦呼籲歐盟各國對於懷有政治動機的境外投資應加以防範；歐盟委員會也加強防範大陸與俄羅斯的政府投資基金。[135]因此，華僑可以最迅速的提供中資與國企相關的資訊及意見。

貳、中國大陸僑務政策變遷的意義

從大陸建政以來的僑務政策發展來看，可以得到以下的幾點總結，分述如下：

---

[135] 彭浩偉，「中國大動作投資西方，歐美審慎以對」，**商業週刊**，第 1028 期(2007 年 8 月），頁 160-162。

一、僑務政策與國內、國際情勢緊密相關

大陸僑務政策與當時的國內政治情勢緊密相關，國內政局發展與領導人態度往往會直接影響當時之僑務政策；但另一方面僑務工作又與外交及國際關係密切相連，成為一種橫跨國內政治發展與國際關係開拓的相互牽引現象。

二、僑務工作與對台工作密切聯繫

當前大陸對台工作與僑務工作之間的關聯，在「反獨促統階段」之後，形成一種「策略聯盟」的相輔相成關係。這尤其在胡錦濤時期最為明顯。在江澤民時期對於台灣政府的施壓，往往是疾言厲色與惡言相向，除造成台灣民眾的極度反感外，甚至造成選舉的效應。而胡錦濤時期對台施壓的作法，一方面是透過「聯美制台」策略，也就是透過美國政府來對於台灣官方施壓；另一方面則透過海外華僑的「中立角色」，展現全球華人反獨促統的「廣大民意」。

三、僑務工作與外交工作重疊性增加

當國外僑務與多維開展僑務勢已經成為大陸僑務政策未來的發展方向時，僑務工作與外交工作的重疊程度也就日益明顯。僑務原本就是外交工作的一環，並由外交部領事司負責；而對於駐外使領館人員來說，聯繫僑領、僑團與僑社更是職責所在。其目的在於透過華僑建立與其他國家的政經關係，或是透過與華裔政治人物的聯繫，以影響該國的中國政策，並且透過華僑進行外交工作之拓

展。但目前可以發現，僑務單位特別是國僑辦也積極推動此項工作，因此未來外交部與國僑辦是否會產生「相互競合」的關係值得關注。

叁、交易成本理論之探究

根據第二章有關交易成本的理論來看，所謂制度就是社會的一種規範與遊戲規則，其可以區分為正式、非正式與實施機制三個類型。首先，就「正式制度」來說，是一種有形的約束，這包括政治制度、經濟制度與憲法、法律與契約等。從本章所探討的大陸僑務政策來說，包含僑務相關的政府機構與組織、引進僑資與優惠僑商的經濟體制與各種相關法令規範，此均屬於正式制度的範疇。馬修斯也認為，制度的內容包括有經協約而生之行為規範、規則或所有權，而本章曾探討在大陸改革開放前，對於歸僑與僑眷的財產所有權予以查抄，造成權益嚴重受損，改革開放之後則逐漸恢復歸僑與僑眷的財產所有權，由此可見此一探討也屬於制度的範疇。

其次，所謂「非正式制度」是一種非正式的約束與無形的制度，這包括了價值觀念、倫理道德、風俗習慣和意識型態等。我們也可以看到大陸不同時期的僑務政策，直接受到當時領導者的價值觀與意識型態所影響。第三，所謂「制度的實施機制」，就是保證制度得以發揮作用的手段、工具、政策或措施，本章所探討的大陸僑務政策與具體作為，均屬於此。

由此可見，既然大陸僑務政策即屬於制度的概念與範疇，自然其政策變遷亦能透過制度變遷之理論進行探究，分別敘述如下：

一、具有兩種制度變遷的原因

從制度變遷的原因來看，大陸僑務政策的發展與變遷應該是屬於「因制度創新所造成的變遷」與「收益與成本比的考量所形成的制度變遷」兩種形式。

（一）因制度創新所造成的變遷：迅速發展時期

從 1977 至 1988 年的大陸僑務「迅速發展時期」來看，本研究認為是「因制度創新所造成的變遷」。首先，諾斯認為在技術不變的條件下，藉由制度創新可以促進經濟增長，[136]而在改革開放之後大陸的僑務政策變化，其目的在於招商引資，因此也是為了促進大陸的改革開放與經濟發展。

其次，在「因制度創新所造成的變遷」論述中，強調在制度創新的過程會能改善某些人福利。事實上，改革開放之後大陸的僑務政策變化，其對於歸僑與僑眷所受政治迫害的平反，恢復他們應有的待遇與權利，都能改善歸僑與僑眷的福利。至於在創新的過程中，倘若使得一個人以上者的福利獲得改善而無人受損時，被稱之為「柏雷圖改進」，本文認為從改革開放之後大陸的僑務政策，對於歸僑與僑眷的福利改善，並無導致其他人的福利受損，反而因為僑資的進入，增加了工作機會與促進經濟發展，使得歸僑與僑眷以外的民眾享受到原本並沒有的福利，因此是接近所謂的「柏雷圖改進」。

---

[136] 張克難，**作為制度的市場和市場背後的制度——公有產權制度與市場經濟的親和**（上海：立信會計出版社，1996 年），頁 59。

即便是達不到「柏雷圖改進」，誠如第二章所述，當在創新的過程中，福利受損的人越少時，就越能以最小之交易成本順利完成制度變遷。因此「迅速發展時期」的僑務政策，其福利受損者甚為有限時，制度變遷的交易成本也就非常小了。

（二）收益與成本考量所形成的制度變遷：低潮突破與反獨促統時期

在第二章所論及之「收益與成本比的考量所形成的制度變遷」中指出，當一個新制度建立所可能帶來的收益，大於建立該制度所要花費的成本時，才會產生對於新制度的現實需求，也就是才有新制度的產生，因此新制度的建立成功與否，攸關於潛在利潤大小與成本大小。從大陸僑務政策的發展來看，不論是 1989 到 1994 年的「低潮突破時期」，還是 1995 到 2005 年的「反獨促統時期」，都接近此一論述。大陸一方面為了突破六四事件後對外關係的低潮，另一方面為了反台獨，雖然在此一階段需要花費許多資源來提供僑務工作之所需，這包括人力、物力與財力，但為了達到前述之政治目的與收益，這些成本的花費都是值得的，因為在事前的評估中大陸已經預期到，收益將會高於成本。

二、具備四種制度變遷過程中的成本

誠如第二章所述，在制度變遷過程中的成本，包括：發現舊有制度缺點的成本、設計新制度的成本、保證制度實施的成本與不確定性的成本等四種，根據大陸僑務政策的變遷分述如下：

（一）「發現舊有制度缺點」與「設計新制度」的成本

從 1977 至 1988 年的大陸僑務「迅速發展時期」來看，由於必須針對文革時期的僑務政策進行檢討，並且規劃未來新的僑務工作發展方向，因此其「發現舊有制度缺點的成本」與「設計新制度的成本」較高，但之後隨著相關政策一一出現，此兩種成本即逐漸降低。

（二）「保證制度實施」與「不確定性」的成本

改革開放之後新的僑務政策與制度是否能夠保證實施，以及發現實施過程中可能的不確定性，都使得「保證制度實施的成本」與「不確定性的成本」增加。特別是在 1989 到 1994 年的大陸僑務「低潮突破時期」，由於許多臆測認為大陸可能在六四事件之後延緩改革開放，這使得新的僑務政策與制度是否能夠繼續實施受到質疑，如此都使得上述兩種成本增加。而到了 1995 到 2005 年的「反獨促統時期」，隨著制度日益穩定與疑慮逐漸消除，上述兩種成本也就逐漸下降。

三、實施成本由高至低而摩擦成本低

誠如第二章所述，「實施成本」是指當一項制度變遷開始之後，因為訊息不完全、相關知識獲得不足與制度預期不穩定所造成的經濟效率損失。是一種從舊制度走向新制度的過渡程序中，對於新制度在設計、創新與重新組合過程中的經濟損失。本文認為從 1977 至 1988 年的大陸僑務「迅速發展時期」，由於資訊不對稱與對於未來的不確定性，其實施成本是較高的，但之後隨著新制度的運作逐漸穩定而逐漸下降。

至於「摩擦成本」，是指因新制度產生而造成某些既得利益者因無法達到柏雷圖最適分配，產生對抗與反對活動所引發之經濟損失，此即制度變遷過程中的主要阻力。誠如前述，本文認為改革開放後的僑務政策，對於歸僑與僑眷的福利增進，並不會傷害到既得利益者的利益，即使有也相當有限，因此其摩擦成本甚低。所以對於大陸在改革開放後的僑務政策推動來說，並不具有「絕對阻力」，而僅有相當有限的「相對阻力」。

四、改革開放之前是屬於強制性與激進性制度變遷

從大陸在改革開放前的僑務政策發展，基本上是屬於「強制性」與「激進性」的制度變遷，特別是 1957 至 1965 年的「發展趨緩時期」與 1966 至 1976 年的「完全停頓時期」。誠如第二章所述，強制性制度變遷是藉由國家強大的公權力來進行制度的創新與變遷，當統治者依據成本收益原則進行考慮，發現預期收益超過預期成本時，便會執行此一變遷，反之則會停止，但其所考慮的成本與收益並不是單純的經濟因素，而是政治因素。因此大陸不論是透過雙百方針、反右鬥爭或文革等政治運動，對於僑務工作與制度進行強制性的改造，以達到政治上的目的，均符合強制性制度變遷的意義。

至於激進性的制度變遷，是指在短時間內進行一致性的轉變，希望能在一次的協商與締約過程中從舊的制度轉變為新的制度；而當一種大規模的制度變遷，其過程是多偏向強制性的，當變遷越是激進的時候，強制性就越是明顯。基本上包括在大躍進、人民公社與文革等政治運動，都屬於激進性的制度變遷，而在此一時期對於僑務政策的改變亦是如此。

相對的，本文認為在改革開放後的大陸僑務政策發展，則是屬於「誘致性」與「漸進性」的制度變遷。

第四章　當前中國大陸之僑務工作組織與體系

誠如第三章所述，隨著華僑在全球的影響力日增，中國大陸不但從「國內僑務」轉變為「國外僑務」，在「多維開展」的僑務政策下，各種僑務組織更是快速的增加，並且形成各種盤根錯節的工作體系，這在全球各國來說都是非常罕見，由此可見大陸對於僑務工作的重視。

第一節　中國大陸當前之僑務工作體系

大陸當前僑務之工作體系甚為複雜，如圖 4-1 所示，實線是指由上而下的直接「領導指揮關係」；而虛線則是間接的「運用指揮關係」，例如「中華全國歸國華僑聯合會」（以下簡稱中國僑聯）與中國致公黨是全國政協的組成單位，但在業務上又受統戰部的運用指揮。而點線 —‥—‥ 則是平行的協調關係，主要是指全國政協、全國人大與中國共產黨黨全國黨代表大會間的互動。大陸當前有關僑務工作之體系甚為複雜，本文歸納之後將其區分為僑務政策最高決策體系、華僑參政議政體系、僑務政策規劃與執行體系、跨部委辦之僑務工作執行體系、其他部委辦之僑務協調配合體系、僑務工作之黨派群眾體系等六大部分。

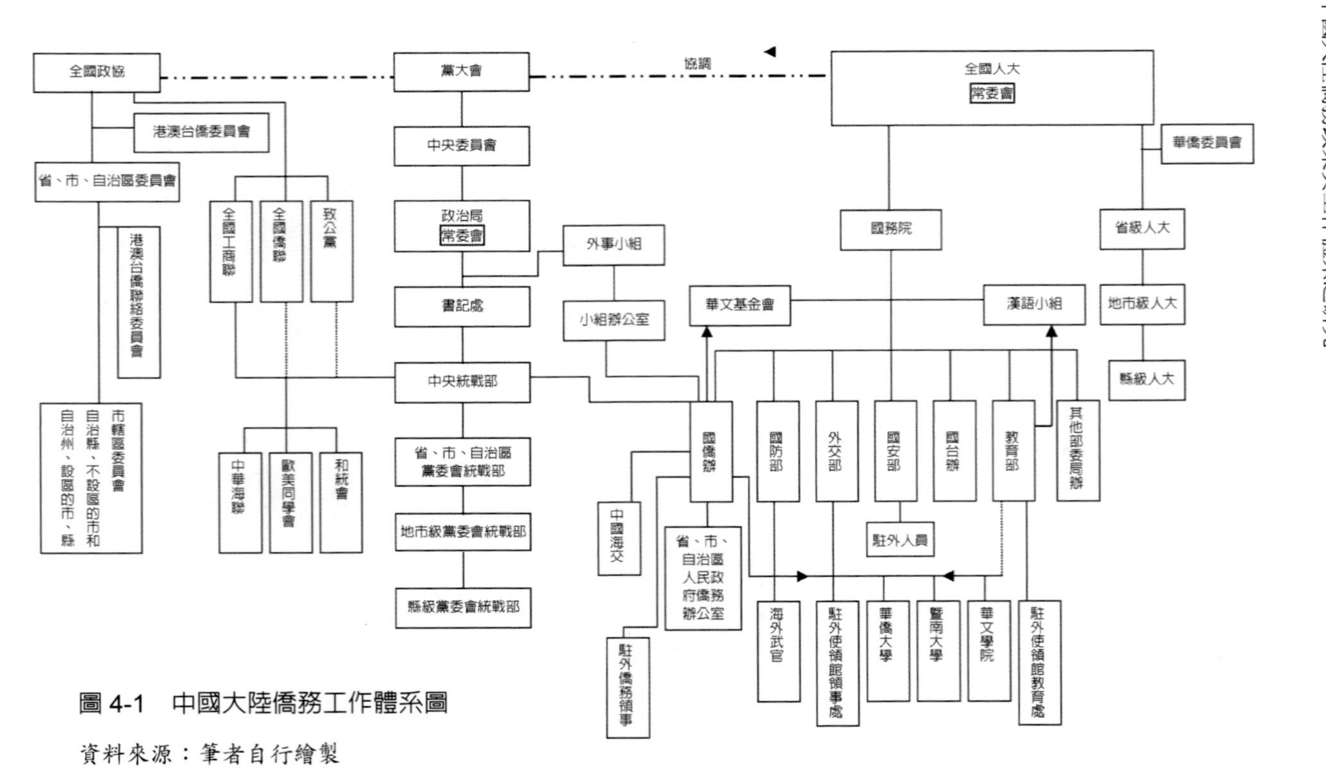

圖 4-1　中國大陸僑務工作體系圖

資料來源：筆者自行繪製

壹、僑務政策最高決策體系：中共中央外事工作領導小組

由於大陸強調「以黨領政」，因此政治決策中樞就是中國共產黨中央委員會的「中央政治局」，在中共第十七屆中央委員會的政治局委員共有 25 人，[1]而在其中又產生了決策核心，即 9 位政治局常務委員會委員。[2]中共中央為了讓政治局常委能在重大決策拍板定案前，事先具備相關政策的認識與瞭解，以便達成共識與形成決策，進而交付國務院等行政單位執行，因此成立了「中央工作領導小組」。故該小組不僅具有決策功能，而且成為黨政首長取得共識的平台，因而兼具「黨政協調」或是「黨政運作」的機制，[3]包括財政經濟、外事工作、對台工作、農村工作、宣傳思想工作等領導小組。

中央外事工作領導小組（以下簡稱「外事小組」），於 1958 年 6 月成立，中共十三大後其地位與中央書記處相等，均由中央政治局及其常委會直接領導。該小組每週定期集會一次，針對大陸之對外事務進行意見交換。在前總理李鵬擔任小組主持人時，透過其政治權力與黨內威望，使該小組對於重要外事政策的制定與執行，具有極大之影響力。[4]另一方面，外事小組的常設辦事機構為「外事

---

1 政治局委員包括：習近平、王剛、王樂泉、王兆國、王岐山、回良玉、劉淇、劉雲山、劉延東、李長春、李克強、李源潮、吳邦國、汪洋、張高麗、張德江、周永康、胡錦濤、俞正聲、賀國強、賈慶林、徐才厚、郭伯雄、溫家寶、薄熙來。

2 政治局常委包括胡錦濤、吳邦國、溫家寶、賈慶林、李長春、習近平、李克強、賀國強、周永康。

3 邵宗海，「中共中央工作領導小組的組織定位」，**中國大陸研究**，第 48 卷第 3 期（2005 年 9 月），頁 1-24。

4 Michael D. Swaine, *The Role of the Chinese Military in National Security Policymakin*（C.A.:RAND,1998）, pp.25-26.

小組辦公室」(以下簡稱「外事辦」),其另一塊招牌為「國務院外事辦公室」。[5]

基本上,組長一職通常是由總書記擔任,而小組成員並未對外公開,因此眾說紛紜。台灣學者許志嘉認為小組成員通常包括國家主席、總書記、國務院總理、負責外交事務的國務院副總理、外交部長、中共中央對外聯絡部(以下簡稱「中聯部」)部長及對外貿易經濟合作部長等人。[6]本文認為,僑務從過去以來就是外事工作的一環,雙方業務接近而難以分割,這也就是各地方政府多設有「外事僑務辦公室」與「外事僑務工作領導小組」的原因,由此可見,國僑辦主任參與外事小組的可能性甚高。

因此本研究認為,大陸僑務政策的最高決策機構即是外事小組,特別如第三章所述近年來在「多維開展階段」中,大量輸出僑民,透過各種僑社與團體來組織華僑力量;強化華僑在僑居地的政經影響力,甚至直接投身當地政治事務,如此不但有助於增進雙方政經關係,更可藉此獲得情資;透過華僑進行文化輸出,以增進國外民眾好感進而降低「中國威脅論」批評與「反中」言論;吸引僑資回國投資,以增進大陸經濟的持續發展。由此可見僑務工作與大陸的外交、國家安全、外貿均產生緊密聯繫,成為外事工作大戰略下的重要環節。

貳、華僑參政議政體系

所謂華僑參政體系,係指大陸透過管道讓海外華僑能夠表達意見與參與政治事務,目前共有兩大系統:

---

[5] 楊勝春,**中國最高領導班子的左右手——中共中央直屬機構檔案(1949-1998)**(台北:永業出版社,2000 年),頁 70-72。

[6] 許志嘉,**中共外交決策模式研究**(台北:水牛出版社,2001 年),頁 139。

一、全國政協港澳台僑委員會

全國政協是大陸所謂「人民愛國統一戰線」的組織，是中國共產黨領導的所謂「多黨合作和政治協商」的重要機構。政協由中國共產黨、各民主黨派、無黨派民主人士、人民團體、各民族和各界代表、台港澳同胞和歸國僑胞代表以及特別邀請的人士所組成。1949 年 9 月 21 日，在北京召開了第一屆會議。根據大陸的官方說法，全國政協的主要職能是「政治協商和民主監督，組織參加政協的各黨派、團體和各族各界人士參政議政」。

早在政協第一屆全國委員會時就設有「華僑事務組」，第二屆至第六屆稱為「華僑組」，第七屆、第八屆稱為「華僑委員會」，1995 年政協第八屆全國委員會常務委員會第十二次會議將「華僑委員會」和「祖國統一聯誼委員會」合併為「台港澳僑聯絡委員會」，1998 年政協第九屆全國委員會常務委員會第一次會議定名為「港澳台僑委員會」，由此可見華僑在全國政協中具有相當之歷史性。而具華僑身分的政協委員，大多以中國致公黨或中國僑聯成員的身分參與。[7]

目前，在全國政協的各項工作中，華僑事務仍扮演相當重要之角色，也因此在 2003 年第十屆全國委員會中擔任副主席者，包含許多與華僑事務有關的人士，如曾任國僑辦主任的廖暉，時任中共中央統一戰線工作部（以下簡稱統戰部）部長的劉延東，時任致公黨中央主席、中國和平統一促進會會長（以下簡稱統促會）的新加坡歸僑羅豪才；2008 年產生的第十一屆全國委員會中擔任副主席

---

[7] 「全國政協港澳台僑委員會」，中國僑網，2008 年 2 月 22 日，請參考 http://61.135.142.227:82/gate/big5/www.chinaqw.com.cn/news/2005/0919/68/128.shtml。

者，廖暉續任，其他包括統戰部部長杜清林，曾任統戰部副部長的鄭萬通，致公黨中央主席萬鋼。[8]但另一方面就事實而言，全國政協針對華僑所能發揮的功能卻甚為有限，分述如下：

（一）全國政協僅是政治花瓶

表面上全國政協的職能是政治協商、民主監督與參政議政，但如表 4-1 所示，其實際功能相當有限，全國人大還有若干類似西方國會的預算審查權、法案審查權、人事同意權、行政監督權、宣戰同意權等，然而全國政協卻無，僅有每年集會聽取國務院總理的施政報告，或是政協委員提出若干「建言」，無怪乎政協被外界譏諷為「政治花瓶」。也因此，全國政協港澳台僑委員會也僅是提供了接待海外華僑回國共聚一堂的所謂「大團結、大聯合」之「愛國統一戰線」的「聯誼性功能」；華僑政協委員針對僑務工作與僑居地需求提出意見的「渠道性功能」；吸引華僑前來投資的「經濟性功能」。

（二）政協委員產生方式無法反映僑情

當前，政協委員是以「協商推薦」的方式產生，與全國人大代表是透過「間接選舉」的方式相較，後者至少還有若干的「民意」成分。此外，每屆政協委員的名額和人選，是經由上屆「全國委員會主席會議」審議同意後，由「常務委員會」協商決定；而人選則來自「中國各個領域、各個界別有代表性和有社會影響的人物」。[9]

[8] 「新一屆全國政協領導人名單和簡歷」，新華網，2008 年 3 月 14 日，請參考 http://big5.xinhuanet.com/gate/big5/news.xinhuanet.com/photo/2008-03/13/content_7784136.htm。

[9] 「中國政協的簡要歷史」，中國人民政治協商會議全國委員會，2009 年 12 月 14 日，請參考 http://www.cppcc.gov.cn/zxjj/index.htm。

而目前政協委員中的所謂「華僑代表」，均為歸僑與僑眷，而非實際居住在海外之華僑，因此其所謂「渠道性」功能事實上也甚為有限。

二、全國人大華僑委員會

全國人大是大陸憲法上所規定的最高權力機關，是由省、自治區、直轄市、特別行政區和解放軍選出的代表組成，常設機關是全國人大常務委員會（以下簡稱常委會）。而根據大陸憲法第七十條規定，全國人大共設立民族、法律、財政經濟、教育科學文化衛生、外事、華僑等專門委員會，故 1983 年第六屆全國人大第一次會議成立了華僑委員會。[10]如表 4-1 所示，華僑委員會對於華僑立法與權益保障的確有若干效果，但由於人大代表的產生，除了解放軍代表團外，均為「區域代表」，而 1982 修改的「中華人民共和國全國人民代表大會和地方各級人民代表大會選舉法」，也僅規定全國人大和歸僑人數較多地區的地方人大，應有「適當名額」的歸僑代表。[11]如此的意義如下：

（一）代表華僑之人代數量難以確定

由於大陸的人大代表並無如我國立法委員一般，特別針對華僑採取「保障名額」，因此人數多寡無法確定，也難獲保障。

---

[10] 莊國土，**華僑華人與中國的關係**（廣州：廣東高等教育出版社，2001 年），頁 294。

[11] 「歸僑的人大代表應如何產生」，中國人大網，2008 年 1 月 22 日，請參考 http://www.npc.gov.cn/zgrdw/common/zw.jsp?label=WXZLK&id=8608&pdmc=110708。

表 4-1　全國政協與全國人大僑務工作職能比較表

單位名稱	職能	重要成員	所屬單位
全國政協港澳台僑委員會（成立於1998 年）	1. 宣傳有關港澳台僑方面的方針政策。 2. 對港澳台僑方面的重要問題進行調查研究。 3. 提出意見、建議和提案。 4. 加強與港澳台僑委員和有關人士的聯絡。	主任：陳雲林（第十一屆全國政協）	港澳台僑委員會辦公室又稱「全國政協港澳台僑局」，下設綜合處、港澳台處和華僑處
全國人大華僑委員會（成立於 1983 年）	1. 審議全國人大主席團或常委會交付審議的僑務方面議案；向全國人大主席團或常委會提出僑務的議案或法律草案；審議全國人大主席團或常委會交付的質詢案，聽取受詢機關的答覆。 2. 對涉及僑務的法律執行情況進行監督檢查，並向全國人大常委會報告；聽取國家行政、司法機關對有關涉僑法律執行情況的彙報。 3. 調查研究有關僑務方面的情況和問題，向有關部門提出建議；接待和處理華僑、歸僑和僑眷的來訪和來信；聯繫地方人大的僑務部門和全國人大歸僑代表。 4. 開展僑務外事活動，如組織代表團到僑胞居住國，了解僑胞權益受保護情況，聽取僑胞的意見，與僑胞居住國議會、政府有關部門加強聯繫。	主任委員：高祀仁（第十一屆全國人大）	1. 辦公室：秘書處、國外處 2. 研究室：議案處、調研處

資料來源：「全國政協港澳台僑委員會」，中國僑網，2008 年 3 月 15 日，請參考 http://61.135.142.227:82/gate/big5/www.chinaqw.com.cn/news/2005/0919/68/128.shtml;「全國人大華僑委員會」，中國新聞網，2008 年 1 月 2 日，請參考 http://big5.chinanews.com/n/2003-10-27/26/361560.html。

（二）華僑委員會組成份子複雜

若從第十屆全國人大華僑委員會所公布的 20 位代表之基本資料來看，可發現若干代表的背景與華僑並無直接關係，例如其中的黃次勝、冷寬、杜鐵環、田書根等均為解放軍代表，出身地區既非福建、廣東等僑鄉，亦非致公黨黨員。[12]而第十一屆全國人大華僑委員會的 21 位代表中，包括王建民、李玉、張瑞、楊德清等也均為解放軍代表，而與華僑無關。[13]因此是否因華僑代表人數不足而被迫加入，受限於資料無從得知，但若是如此則顯示華僑委員會的代表性不足。

（三）海外華僑無緣參政議政

目前，華僑人大代表並非由居住在海外之華僑中產生，而是由大量輸出華僑的僑鄉省分如福建、廣東，產生具備歸僑、僑眷身分的代表，因此無法確實反映海外華僑之民意與心聲。

參、專責僑務之政策規劃與執行體系

大陸在政府體系中有關僑務工作之專責機構，可以分成兩個部分，一是國僑辦，另一則是統戰部。國僑辦是屬於「政府」體系，而統戰部則是屬於「黨」的體系。

---

[12] 「華僑委員會」，中國人大網，http://www.npc.gov.cn/zgrdw/jgszjry/lm_zmwyh.jsp?lmid=1105&parentDm=110504&dm=11050414&pdmc=110504&fl=%BB%AA%C7%C8%CE%AF%D4%B1%BB%E1。

[13] 「華僑委員會」，中國人大網，2010 年 1 月 2 日，請參考 http://www.npc.gov.cn/npc/bmzz/huaqiao/node_1627.htm。

一、國僑辦

國僑辦在性質上屬於「國務院辦事機構」，與「國務院組成部委」不同，其是「協助國務院總理處理專門事務或特別事務的辦公機構」，因此國僑辦就是「協助總理辦理僑務工作的辦事機構」。[14] 由表 4-2 可以發現，國僑辦可以說是大陸專門針對僑務進行總體政策規劃與執行的機制，其四大職能如下：

（一）政策規劃與單位協調

國僑辦可說是專門制訂大陸整體僑務工作方針、政策、法規的最高機構，其中的「政策研究司」就負責上述工作。但由於大陸牽涉僑務工作之單位相當繁雜，從橫向面來說，許多部委均涉有華僑業務；從縱向面來說，各地方政府也均設有僑辦，再加上許多所謂的「黨派群眾團體」，因此政策的統一性與協調性就相當重要。

（二）僑情調研

海外僑情的資訊搜集，可以說是大陸僑務工作相當重要的一環，其中的「國外司」就成為海外僑情匯集的資訊站；而大陸各駐外使領館均有國僑辦派出之人員擔任「僑務領事」，專責華僑聯繫工作。

---

[14] 「主要職能」，國務院僑務辦公室，2009 年 8 月 12 日，請參考 http://61.135.142.227:82/gate/big5/www.gqb.gov.cn/node2/node3/node22/node23//index.html。

（三）對外宣傳

針對華僑進行宣傳，以降低華僑對於大陸的「資訊不對稱」現象，故下設「文教宣傳司」，負責僑務文教宣傳與華文推廣工作。

（四）招商引資

改革開放以來，招商引資一直是大陸從未停歇過的工作，因此華僑「引智引資」遂成為僑務工作的重要項目。其中，國僑辦「國內司」負責保護歸僑、僑眷的合法權益，以及海外僑胞在大陸境內的合法利益。而 90 年代後，隨著大陸積極引進高新科技產業，也將觸角延伸至僑資，故國僑辦特別設立「經濟科技司」，並從 2001 年開始每年舉辦一次「華僑華人創業發展洽談會」，強調以 IT 與光電產業、生物醫藥、汽車機械、高新農業、環保、金融投資等六個領域作為吸引僑資之重點；[15]從 2002 年開始每兩年舉辦一次「華商企業科技創新合作交流會」，舉辦各種論壇、成果發布會、經貿洽談會、人才招募等活動。[16]

二、統戰部

統戰部是中共中央專門主管「統一戰線」工作的部門，基本上統戰部的工作對象較為廣泛，包括民主黨派與無黨派人士、少數民

---

[15] 「華僑華人創業發展洽談會」，中國僑網，2009 年 8 月 12 日，請參考 http://61.135.142.227:82/gate/big5/www.chinaqw.com.cn/node2/node2796/node3264/node3468/index.html。

[16] 「會議簡介」，中國僑網，2009 年 8 月 12 日，請參考 http://61.135.142.227:82/gate/big5/www.chinaqw.com.cn/node2/node2796/node3264/node3471/index.html。

族人士、宗教人士、港澳台與海外人士、非公有制經濟人士、黨外知識份子等，因此華僑僅是上述「港澳台與海外人士」中的一部分，而由該部之「第三局」（即港、澳、台、海外工作局）負責相關業務。雖然僑務只是統戰部諸多工作的一項，但其影響力卻不遜於國僑辦，主要原因之一是僑務始終是統戰部的重點工作，2006 年 7 月在北京召開的「第二十次全國統戰工作會議」上，中共總書記胡錦濤針對華僑事務特別強調「要以凝聚僑心、彙集僑智、發揮僑力為目標……，使海外僑胞對祖國的認同感和自豪感不斷增強」。[17]另一方面，就是長期以來大陸「以黨領政」的政治運作模式，統戰部既然隸屬於黨且為唯一牽涉僑務工作之機構，就必然可以領導政府體系中的國僑辦，有關兩個單位工作職能之內容比較，請參考表 4-2 所述。

改革開放之後，在「以經濟建設為中心」的發展方向下，統戰部的海外工作亦包括「負責聯繫海外工商社團和代表人士」，[18]因此使得「第五局」（經濟局）也扮演著與華僑業務相關的角色。

表 4-2　國僑辦與統戰部僑務工作職能比較表

單位名稱	職能	重要成員	所屬單位	其他機構
國僑辦（成立於 1978 年）[19]	1. 研究擬定僑務工作的政策、法規，並	主任：李海峰（女）	1. 政策研究司。[23]	各省級（含自治區、直

17 「胡錦濤：在全國統戰工作會議上發表重要講話」，中央統戰部，2009 年 8 月 12 日，請參考 http://www.zytzb.org.cn/zytzbwz/theory/lchy/80200608150068.htm。

18 「港澳台海外」，中央統戰部，2009 年 8 月 12 日，請參考 http://www.zytzb.org.cn/zytzbwz/hkmatai/index.htm。

19 國僑辦之前身為建政時之「中央人民政府華僑事務委員會」，1954 年改名為「國務院華僑事務委員會」，1970 年裁併至外交部，請參考：郭瑞華，**中共對台工作組織體系概論**（台北：法務部調查局，2004 年），頁 174。田雛鳳，「江澤民僑務思維及政策之研究」，銘傳大學國家展與兩岸關係碩士在職專班碩士學位論文（2006 年），頁 82。

<table>
<tr>
<td></td>
<td>監督執行情況。
2. 調查研究國內外僑情和僑務工作情況，向黨中央、國務院提供僑務資訊。
3. 審核有關部門和地方制訂的直接涉及僑務政策；對有關部門和社會團體所開展的僑務工作進行統籌、協調。
4. 推動海外僑胞及其社團的團結友好工作。[20]
5. 依法保護歸僑、僑眷的合法權益。[21]
6. 調查研究引進海外僑胞資金、技術、工作的情況，提出相應的政策建議。[22]</td>
<td>副主任：
趙陽、許又聲、馬儒沛、任啟亮
紀檢組組長：
王杰</td>
<td>2. 國外司。[24]
3. 秘書行政司。[25]
4. 文教宣傳司。[26]
5. 國內司。[27]
6. 經濟科技司。[28]
7. 華聲報社、北京華文學院、暨南大學、華僑大學</td>
<td>轄市）、地級市(含自治州）、縣級(含自治縣)人民政府均設僑務辦公室</td>
</tr>
</table>

[20] 包括聯繫海外華文媒體、華文學校並支援其工作，促進海外僑胞在經濟、科技、文化、教育等方面與大陸的合作交流。

[21] 包括會同有關部門擬定有關歸僑、僑眷工作的方針政策；開展歸僑、僑眷工作；協助有關部門做好歸僑、僑眷代表人士的人事安排工作等。

[22] 依法保護海外僑胞在大陸投資的合法權益；推動引進海外僑胞資金、技術、人才工作的開展。

[23] 下設綜合處、刊物處與研究處。

[24] 下設一、二、三、四處。

[25] 下設秘書處、幹部處、文電處、財務處、行政處、保衛處、資訊中心。

[26] 下設宣傳處、文化處、高教處、華文教育處、華文教育發展中心。

[27] 下設僑政處、信訪處、綜合處。

[28] 下設經濟處、科技處、綜合處。

統戰部（成立於 1939 年）[29]	1. 負責聯繫香港、澳門和海外有關社團及代表人物；聯繫各民主黨派、工商聯和其他有關團體共同做好海外統戰工作，負責中華海外聯誼會辦公室的日常工作。[30] 2. 負責聯繫全國工商聯；聯繫港、澳、台及海外的工商社團和代表人士。	部長：杜青林 副部長：楊晶、朱維群、全哲洙、黃躍金、尤蘭田、樓志豪、陳喜慶、斯塔	1. 第三局：港、澳、台、海外工作局。 2. 第五局：經濟局。	各省級(含自治區、直轄市)、地級市(含自治州)、縣級(含自治縣)之黨委均設置統戰部門

資料來源：「主要職能」，國務院僑務辦公室，2008 年 2 月 23 日，請參考 http://61.135.142.227:82/gate/big5/www.gqb.gov.cn/node2/node3/node22/node23//index.html。「部領導介紹」，中央統戰部，2010 年 1 月 5 日，請參考 http://www.zytzb.cn/09/introduce/。

肆、跨部委辦之僑務工作執行體系

隨著近年來大陸僑務工作朝向多角化發展，所牽涉的部委辦也更為廣泛，使得「跨部委辦」的組織開始出現，如表 4-3 所示，其多屬於華文推廣與教育之單位。隨著大陸綜合國力的增強，全球興起學習中文的熱潮。而華僑對於中文的學習，除了因為感受到這股熱潮外，更有中華文化傳承的意義，因此海外華文教育的受教對象除了一般外國人士外，更包含廣大的華僑與其後代。

---

[29] 1939 年在紅軍下設立「抗日統戰部」，1947 年更名為「城工部」，1948 年 9 月更名為「中央統一戰線工作部」，請參考：郭瑞華，**中共對台工作組織體系概論**，頁 93。

[30] 「本部介紹」，中央統戰部，http://www.zytzb.org.cn/zytzbwz/introduce/jigou.htm。

表 4-3　中國大陸跨部委僑務工作執行體系比較表

單位名稱	職能	重要成員	所屬單位
華文基金會（成立於 2004 年）	1. 建構海外華文教育教材，並進行推廣。 2. 舉辦「華裔青少年夏令營」、華人作文比賽等海外活動。 3. 動員海內外力量籌措資金與整合資源。 4. 進行華文教育之理論研究。 5. 建立國內外之「華文教育基地」。 6. 推動「海外華文師資培養計畫」，至 2009 年可為海外華文學校培訓 1 萬名華文教師，其教學效果將影響 100 萬名海外學生。	1. 理事長：張偉超（全國政協港澳台僑委員會副主任） 2. 副理事長兼秘書長：杜志濱（國僑辦國外司前副司長） 3. 副理事長：李獻國（國僑辦國外司前調研員） 4. 理事： 郭華（統戰部三局副局長） 陳景寬（中共外宣辦秘書局副局長） 張聚寧（全國人大華僑委員會辦公室主任） 孫大立（外交部領事司副司長） 胡祖才（國家發改委社會發展司司長） 岑建君（教育部國際司副司長） 李林池（財政部行政政法司司長） 白陽（文化部局級參贊） 李宗達（國家廣播電影電視總局總編室副主任） 馬國倉（新聞出版總署	理事會、秘書處、辦公室、基金募捐部、基金管理部、基金項目部、法律研究部

		圖書司副司長） 徐光華（全國政協港澳台僑委員會辦公室副主任） 王登峰（教育部國家語委語言文字應用管理司司長） 任夢雲（中國僑聯文化交流部部長） 白俊傑（致公黨中央委員會聯絡部副部長） 吳洪芹（國僑辦國外司司長） 劉輝（國僑辦文教宣傳司司長） 譚天星（國僑辦經濟科技司司長） 胡軍（暨南大學校長） 吳承業（華僑大學校長） 5. 監事：熊昌良（國僑辦秘書行政司司長）	
國家漢辦（成立於2002年）	1. 在漢語小組的領導下，制定漢語國際推廣的規劃。 2. 建設海外孔子學院。 3. 開發與發行漢語教材。 4. 加強漢語師資之招募、培訓和派遣，負責對外漢語教師之資格審定。 5. 構建全球漢語網路平台，提供漢語教學資源。 6. 創新、改革和推廣漢語考試	主任：許琳 副主任：馬箭飛、趙國成、王永利、胡志平	綜合處、人事處、財務處、重大項目與交流處、考試處、師資與志願者工作處、標準與認

	之類別和方式，在國內外推動「對外漢語考試」（HSK）。 7. 支持各國學校發展漢語教學。 8. 計畫、組織對外漢語教學的國際合作；協調「中國對外漢語教學學會」對外交流；協助「世界漢語教學學會」相關工作。 9. 負責「漢語橋」中文比賽及各種國際漢語競賽的組織協調。		證處、教材處、後勤服務中心

資料來源：「中國華文教育基金會理事、監事名單」，中國華文教育網，2010 年 1 月 8 日，請參考 http://www.hwjyw.com/jjh/200705/t20070516_1005.shtml。「職能任務」，國家漢語國際推廣領導小組辦公室，2010 年 1 月 6 日，請參考 http://www.hanban.edu.cn/ZhiNengRenWu.aspx。「漢辦機構設置」，國家漢辦，2010 年 1 月 2 日，請參考 http://www.hanban.org/jgsz.php。

一、中國華文教育基金會

誠如第三章所述，2004 年 9 月在大陸國家主席胡錦濤的親自指示下成立了「華文基金會」。這個基金會的成立宗旨表面上看是「弘揚中華文化，發展華文教育事業，促進中外文化交流」，但事實上其工作對象卻是海外華僑，該基金會對於大陸僑務工作的發展具有以下意義：

（一）國僑辦扮演主要角色

雖然「華文基金會」表面上看來是一跨部委的官方組織，但根據該基金會的組織章程顯示，業務主管單位是國僑辦，[31]也因此如表 4-3 所示，兩位副理事長、秘書長與監事皆是國僑辦人員；而在 23 位理、監事中，國僑辦人員就占了 6 位，若加上直屬於國僑辦之暨南大學與華僑大學人員，總數達到 8 位。雖然海外華文教育看似應屬於教育部，但此一工作卻由國僑辦主導，顯示在海外華文教育的推動中，華僑是重要的受教對象；另一方面也希望透過華僑扮演「種子」的角色，來幫助大陸達成「文化輸出」的戰略。

（二）顯示胡錦濤時期之僑務工作重點

在胡錦濤指示下所成立的華文基金會，是希望透過「文化輸出」來推動僑務工作，此明顯有別於毛澤東時期的「政治掛帥僑務」，鄧小平時期的「招商引資僑務」與江澤民時期的「反獨促統僑務」。

（三）僑務工作的與時俱進及體系跨越

隨著全球「中文熱」的方興未艾，國僑辦投身此一新興發展的業務，不但使得僑務工作趨於多元化，亦使得國僑辦可以掌握更多的行政資源。雖然華僑華文教育僅是僑務工作中的一小部分，但在可預期的未來其重要性勢必有增無減。

---

[31] 「華文教育基金會簡介」，中國華文教育基金會，2009 年 1 月 22 日，請參考 http://www.chinaqw.com.cn/news/2005/1012/68/1541.shtml。

二、中國國家漢語國際推廣領導小組辦公室

早在 1988 年，大陸國務院就成立了「中國國家漢語國際推廣領導小組」（以下簡稱「漢語小組」），但其真正積極發展活動是在江澤民時期。此一小組表面上是由 12 個部委辦所組成的跨單位機構，[32]但實際上的運作是由 2002 年所成立的「國家漢辦」來執行，故國家漢辦是漢語小組的日常辦事機構。基本上國家漢辦與華文基金會仍有相當程度的差異，分述如下：

（一）國家漢辦隸屬於教育部

華文基金會誠如前述隸屬於國僑辦，而國家漢辦表面上是非政府機構，但實際上卻是大陸教育部的下屬事業單位，因此「國家漢辦」又稱之為「教育部對外漢語教學發展中心」，並且與該部之「國際合作與交流司」緊密結合，因為該司即負責「規劃與指導對外漢語教學工作」。此外，教育部派駐在駐外使（領）館之「教育處（組）」人員，亦負責瞭解海外漢語的推動情形。

（二）國家漢辦的教育對象較廣

基本上，國家漢辦的推廣對象包括有外國人士與海外華僑，但華文基金會的推廣對象僅著重於海外華僑。

[32] 包括國務院辦公廳、教育部、財政部、國務院僑務辦公室、外交部、國家發展和改革委員會、商務部、文化部、國家廣播電影電視總局（中國國際廣播電台）、新聞出版總署、國務院新聞辦公室、國家語言文字工作委員會。

（三）國家漢辦的功能較為具體

如表 4-3 所述，國家漢辦的職能中，許多都與華文基金會接近，包括教材的設計與推廣、教師培訓、活動舉辦，但國家漢辦在「漢語水準考試」（HSK）與「孔子學院」方面，卻比華文基金會的成效更為具體而深遠。

伍、其他部委辦之僑務協調配合體系

事實上，在大陸國務院的其他部委辦中，也有許多單位的工作與僑務有關，除了前述的教育部外，包括新華社負責提供海外華僑有關大陸內部與各地僑社之最新資訊，商務部負責華僑投資企業之批准與管理，財政部與國家稅務總局則負責華僑相關法令的制訂等。至於與國僑辦海外工作有直接關聯，甚至是重疊者，詳如表 4-4 所示。

表 4-4　中國大陸國務院相關部委辦參與僑務工作整理表

單位	職能	補充
外交部	1. 從外交政策和國別關係的角度，就僑務重大問題，與有關單位協調，向中央反映情況，提出建議。 2. 指導駐外領事機構的領事僑務工作。 3. 「領事司」負責證件（含認證證明）、僑務、領事保護（撤僑、護僑行動）等業務。 4. 推動華僑華人支援大陸駐各地領館的華僑華人工作，如經貿、文化等交流。	規模較大駐外使領館，會在「領事部」下設「領僑組」和「證件組」

國家安全部	1. 第一局，主管歐洲、美洲與大洋洲情報的搜集。 2. 第二局，主管東歐與俄羅斯情報搜集。 3. 第三局，主管亞洲與非洲之情報搜集。 4. 第十局，主管駐外機構人員及留學生監控、駐外使領館安全防衛、偵查境外反動組織活動。	
國台辦	不定期前往國外舉行各種座談會，向華僑宣傳對台工作與反獨促統內容[33]	
國防部	該部之「外事局武官處」業務如下： 1. 推動軍事外交與交流。 2. 軍事情報搜集及交換。 3. 軍事事務協調聯繫。 4. 解放軍人員接待與協助。 5. 軍職進修受訓人員之督導與照顧。 6. 大陸公民的安全保護措施。	大陸已與150多個國家建立軍事關係，在107個國家設立武官處
文化部	該部「對外文化聯絡局」之工作如下： 1. 歸口管理全國對外之文化交流，擬定對外文化交流政策、法規。 2. 負責駐外使（領）館文化處（組）的業務指導與聯絡。 3. 負責海外中國文化中心的建設和業務。 4. 負責對外文化宣傳。	

資料來源：中央編委辦公室綜合司編，**中央政府組織機構**（北京：中國發展出版社，1995年），頁41-42。「領事服務」，中華人民共和國外交部，2008年1月16日，請參考 http://www.fmprc.gov.cn/chn/lsfw/default.htm。「軍事外交」，東方新聞，2008年1月16日，請參考 http://www.eastday.com/ublish/big5/paper148/20021028/class014800003/hwz806372.htm。「中國領事認證」，中華人民共和國外交部，2008年1月18日，請參考 http://www.fmprc.gov.cn/chn/lsfw/lsrzjzwslggz/t246715.htm, seealso。郭瑞華，**中共對台工作組織體系概論**（台北：法務部調查局，2004年），頁134-135。

[33] 例如2006年4月28日，大陸國台辦副主任王在希與西班牙華僑華人舉行座談會時表示，台灣當局企圖通過「憲政改造」謀求「台灣法理獨立」的危險性在上升。「台獨」分裂活動是兩岸關係發展與祖國和平統一的最大障礙，是台海地區乃至亞洲地區和平穩定的最大威脅。請參考：「兩岸關係大事記」，行政院大陸委員會，2008年5月22日，請參考 http://www.mac.gov.tw/。

以下僅就表 4-4 中有關國務院部委辦，與國僑辦之關聯進行探討：

一、外交部與國僑辦海外工作有所重複

外交部的僑務工作可說與國僑辦有相當之重疊，如表 4-4 所示，僑務原本就是外交工作的一環，並由領事司負責。而駐外使領館人員，聯繫僑領、僑團與僑社更是職責所在，目的在於透過華僑進行外交工作之拓展。

二、國安部負責監控海外僑情

國家安全部（以下簡稱國安部）是大陸的反間諜和政治保衛機關，其是 1983 年由原中共中央調查部為主體，加上公安部政治保衛局與統戰部、國防科工委之部分單位合併而成。國安部雖然也參與國內安全事務，但卻是大陸最大和最活躍的海外情報機構，這其中當然也包括僑務工作。根據日本媒體的報導，大陸國安部透過個人關係與金錢，積極吸收數十萬的旅日華僑，以獲得重要人士之情報。[34]如表 4-4 所示，除了第一、二、三等地區局會透過華僑搜集情報外，第十局更是直接擔負相關工作的執行。

三、國台辦頻赴海外宣揚反獨促統

根據職權來說，國務院台灣事務辦公室（以下簡稱國台辦），與僑務工作應該沒有直接關係，但事實上誠如上述，隨著反獨促統

[34] 袁翔鳴，「中國特務工作六大機關之任務、特色、人脈全比較」，**SAPIO**（東京），第 19 卷第 8 期（2007 年 4 月），頁 12-14。

成為僑務工作的重要項目，使得國台辦官員也紛紛出國向海外華僑進行宣傳。由於國台辦官員長期以來針對台灣問題進行研究，對於兩岸關係的發展較為瞭解，因此由其配合國僑辦在海外舉辦活動，進行海外華僑的政治宣傳工作。

四、國防部駐外武官聯繫華僑頻繁

如表 4-4 所示，國防部外事局的武官處，負責向外國使領館派遣武官，而武官在海外搜集軍情，因為身分特別敏感，加上初任者往往人生地不熟，因此華僑便成為相當重要的蒐情管道。2006 年 12 月，來自北京年齡 42 歲而持有加拿大護照與美國居留權的華裔電腦工程師孟曉東，因涉及商業間諜行為與違反美國武器出口法令等 36 項罪名而被起訴，因為他涉嫌私下竊取任職公司所擁有的軍用飛機模擬飛行訓練軟體，出售給大陸解放軍的海軍研究中心，而孟曉東也在 2007 年 8 月承認所有指控；同樣在 2006 年 12 月，兩名來自大陸的工程師，其中一位為美國公民，另一人則已獲綠卡，各自向聖荷西聯邦法院法官承認，涉嫌從任職的公司竊取精密晶片藍圖走私到大陸。[35]此外，在解放軍人員的接待與協助，或是軍職進修受訓人員的照顧上，華僑均能提供較為豐富的資源與資訊。另一方面如表 4-4 所示，由於武官負擔「中國公民的安全保護措施」，使得他們可以名正言順的與華僑進行接觸，並提供華僑安全上的協助。

---

[35] 彭浩偉，「中國商業間諜橫行，受害國反擊有忌憚」，**商業週刊**，第 1030 期（2007 年 8 月），頁 154-155。

陸、僑務工作之黨派群眾體系

此所指的黨派群眾團體，是指執行或協助大陸僑務工作的民主黨派、工商團體與聯誼群眾團體，這包括「中華全國歸國華僑聯合會」（以下簡稱「中國僑聯」）、中國致公黨、「中華海外聯誼會」（以下簡稱「中華海聯」）、「中國海外交流協會」（以下簡稱「中國海交」）、「全國工商聯」、「歐美同學會」、「統促會」等請參考表 4-5。

表 4-5　中國大陸僑務工作黨派群衆體系整理表

單位名稱	職能	重要組織成員	單位	所屬機構
中國僑聯（成立於 1937 年，為全國政協組成單位）[36]	1. 群衆工作：瞭解歸僑僑眷與華僑的要求。 2. 參政議政：透過僑界人大代表、政協委員提出提案，參與涉僑法律的制定與修改。 3. 維護僑益：根據「歸僑僑眷權益保護法」第八條規	首屆主席：陳嘉庚 現任主席：林軍 副主席： 李祖沛、董中原、王永樂、喬衛（兼任秘書長）	辦公廳、海外聯誼部、經濟科技部、文化交流部、權益保障部、組織人事部	省、自治區、直轄市及設區的市、自治州、縣、不設區的市和市轄區成立地方僑聯組織，目前各級僑聯組織約 11,000 多個

[36] 1937 年抗日戰爭期間，延安、重慶、上海、昆明等地的歸國華僑，紛紛成立「華僑聯合會」等組織以支援抗日；1940 年在延安成立「華僑救國聯合會」，1948 年改為「中國解放區歸國華僑聯合會」；1950 年 7 月，中共建政之後在北京成立了「中華人民共和國歸國華僑聯誼會籌委會」；1956 年 6 月，中央人民政府華僑事務委員會決定在北京成立「中華全國歸國華僑聯合會籌委會」。

	定：「中國僑聯和地方僑聯代表歸僑、僑眷的利益，依法維護歸僑、僑眷的合法權益」。[37] 4. 海外聯誼：密切聯繫海外僑胞。			
中國致公黨（成立於1925年，為全國政協組成單位）	1. 參與國家大政方針和國家領導人選的協商，發揮參政議政、民主監督作用。 2. 維護黨員和歸僑、僑眷的合法權益及海外僑胞的正當利益，反映他們的意見。 3. 積極開展對海外僑胞和出國留學人員的聯誼。 4. 組織和參加對外友好、民間交往和學術交流活動。	主席：萬鋼[38] 常務副主席 王欽敏 副主席 王珣章、程津培、楊邦傑、嚴以新、黃格勝、曹小紅、李卓彬	1. 經濟、科技教育文化衛生、婦女、海外聯誼、參政議政、留學人員聯絡、環境與發展、社會服務等工作委員會。 2. 黨務研究會、法制建設委員會、辦公廳。 3. 參政議政、社會服務、聯絡、宣傳、組織	與40多個國家和地區的洪門社團建立聯繫。目前在北京、上海、天津、重慶、廣東、廣西、福建、雲南、四川、江蘇、浙江、遼寧、湖南、安徽、山東、海南、貴州、湖北、西安等省市都有地方組織

[37] 根據「歸僑僑眷權益保護法」第二十三條規定：「歸僑、僑眷合法權益受到侵害時，被侵害人有權要求主管部門依法處理，或者向人民法院提起訴訟。歸國華僑聯合會應給予支持和幫助」。

[38] 此為中國致公黨第十三次全國代表大會所選舉產生之第十三屆中央委員會成員，歷屆中央委員會主席為陳其尤、黃鼎臣、董寅初、羅豪才。

			等部。 4. 機關服務中心、中國致公出版社、中國發展雜誌社	
中華海聯（成立於1997年，為統戰部白手套）	1. 針對海外人士「聯絡友誼、促進合作、加強溝通、提供服務」。 2. 以統一祖國、振興中華為宗旨的全國性社會團體，旨在加強和促進祖國大陸各界與港澳台同胞、海外僑胞之間的聯繫。	會長：杜青林 副會長：厲無畏、李德洙、楊晶、朱維群、楊崇匯、全哲洙、黃躍金、樓志豪、陳喜慶、斯塔、汪毅夫、李卓彬、謝經榮、王明明、徐展堂、廖澤雲、霍震寰、李家傑顏延齡、尤蘭田 秘書長：殷曉靜	缺乏資料	29個省、自治區和直轄市均設有「中華海外聯誼會分會」
中國海交（成立於1990年，為國僑辦白手	1. 負責海外捐贈事宜。 2. 與華僑及友好團體的聯絡和組織。	會長：錢偉長 常務副會長：李海峰 副會長：	辦公室、行政部、聯絡部、[39]文教部、經濟科技部、[40]研	29個省、自治區和直轄市，以及若干地級市均設

[39] 內設四個處：一處負責與北美、南美和大洋洲地區的聯絡工作；二處負責與東南亞地區的聯絡工作；三處負責與歐洲、非洲、東北亞、南亞、中亞和西亞地區的聯絡工作；四處負責綜合事務及與台灣、香港、澳門地區的聯絡工作。

[40] 內設二個處：經濟處、科技處。

套）	3. 聯繫華僑、華人傳媒，與新聞、文學界人士交流，邀請與接待前往大陸採訪。協助海外華僑華人社團、中華文化中心，開展文化交流。編寫出版華文教材，培訓華文教師；組織海外華裔青少年來大陸舉辦夏（冬）令營與長短期學習，為歸僑、僑眷報考大陸高等院校提供諮詢和服務。為暨南、華僑大學對外招生提供資訊並開展學術交流。 4. 調查華僑、華人和歸僑、僑眷的基本和工作情況。 5. 協助華僑華人工商界人士返回大陸開展經濟合作。 6. 負責僑務方針政	趙陽、許又聲、馬儒沛、任啓亮、王杰 秘書長：許又聲	究部、[41]國內部、[42]人力資源部	有「海外交流協會」

41 內設三個處：一處負責僑務政策和理論研究工作，並組織協調有關研究課題的開展；二處負責研究和綜合性工作；三處負責編輯刊物。

42 內設三個處：僑政處負責調研製定、督促檢查國內方針、政策工作；綜合處負責華僑回國安置，僑務扶貧救濟工作和華僑農場工作；信訪處負責指導開展並處理接待來信來訪工作。

	策的研究制定和貫徹情況的督促檢查。			
全國工商聯（成立於1953年，為統戰部外圍組織，全國政協組成單位）	1. 參與國家大政方針及政治協商，參政議政，民主監督。 2. 針對工商界代表人士之政治安排進行推薦。 3. 維護會員的合法權益，反映會員意見。 4. 為會員提供資訊、科技、管理、法律、會計等服務；開展工商專業培訓。 5. 組織會員舉辦和參加各種展銷會、交易會、出國考察，幫助會員開拓市場。 6. 增進與港、澳、台和各國工商社團及人士的聯繫。	主席：黃孟復 第一副主席：全哲洙[43]	研究室、會員部、宣傳教育部、扶貧與社會服務部、經濟部、法律部、聯絡部	各省、市、自治區均設置工商聯。目前共有縣以上工商聯組織3,119個，鄉鎮級組織1萬多個。工商聯會員分為企業、團體和個人。
歐美同學會（成立於	1. 弘揚愛國主義，宣導留學報國。	會長：韓啓德 副會長：馬文	1. 行政事務管理部、人	歐美同學諮詢中心、留學

43 中華全國工商業聯合會第十屆執行委員會副主席：宋北杉、褚平、孫安民、孫曉華、沈建國、謝經榮、王文京、王文彪、王健林、王新奎、盧志強、劉志強、劉滄龍、許連捷、許榮茂、吳一堅、張元龍、張近東、林毅夫、崔世昌、傅軍、霍震寰。

1913年，為統戰部外圍組織）	2. 增進會員聯繫和友誼。 3. 促進與海外專家學者的相互瞭解與合作。 4. 發揮會員專業特長，開辦各種諮詢、資訊服務和人員培訓。 5. 維護會員的合法權益，關心其工作和生活，向有關部門反映他們的建議。 6. 聯絡海外留學人員和留學生團體。 7. 與全國各地歸國留學人員團體建立聯繫與合作。	普、馬頌德、王林昌、王曉初、王輝耀、鄧中翰、鄧亞萍、韋鈺、喬曉陽、劉書瀚、劉月寧、旭日幹、朱民、閆長明、何亞非、張偉江、陸宇澄、陳章良、鄭荃、章新勝、黃潔夫、傅志寰、程津培、端木美、譚鐵牛 秘書長：靳志偉	事文秘部、會員工作部、聯絡工作部、社會服務部、宣傳部 2. 委員會：設有組織、宣傳、聯絡、建言獻策、團體會員、社會服務、會員活動等7個委員會 3. 分會：美、蘇、英、德奧、法、意、加、瑞士、東歐、北歐、拉美、日本、澳新、朝韓等14個分會	生月刊、歐美同學會通訊和網站
統促會（成立於1988年9月，為統戰部外圍組織）	1. 高舉愛國主義旗幟，團結一切擁護中國和平統一的海內外同胞，推動海峽兩岸的民間	會長：賈慶林 執行副會長：杜青林 副會長：韓啓德、周鐵農、	辦公室、[44]研究室、[45]台港澳聯絡部、[46]海外聯絡部、[47]宣傳	全球已有80多個國家和地區成立了170多個統促會，[51]其範圍

[44] 負責文秘、財務、行政管理和後勤服務，負責承辦黨組日常事務工作。

[45] 負責理論政策研究、台情研究和會史研究，負責起草重要文稿。

[46] 負責台港澳聯絡工作。

[47] 負責海外聯絡工作。

	交流與往來，反對製造「台灣獨立」、「兩個中國」、「一中一台」，促進早日實現中國和平統一。 2. 於 1989 年 3 月發行「統一論壇」雜誌。 3. 每年舉行「海外統促會會長會」。	蔣樹聲、陳昌智、嚴雋琪、桑國衛、帕巴拉·格列朗傑、黃孟復、萬鋼、林文漪、厲無畏 秘書長：尤蘭田	部、[48]理事工作部、[49]人事部、刊物編輯部[50]	遍及歐洲、北美洲、南美洲、亞洲、大洋洲等五大洲

資料來源：田雛鳳，「江澤民僑務思維及政策之研究」，銘傳大學國家發展與兩岸關係碩士在職專班碩士學位論文（2006 年），頁 63。郭瑞華，**中共對台工作組織體系概論**，頁 223。「組織機構」，中華全國歸國華僑聯合會，2010 年 1 月 8 日，請參考 http://www.chinaql.org/list.php?id=42。「中國致公黨簡介」，中國致公黨，2010 年 1 月 7 日，請參考 http://www.zg.org.cn/zgjj/zgdjj.htm。「第二屆中華海外聯誼會理事會領導機構名錄」，中華海聯網，2010 年 2 月 7 日，請參考 http://www.cofa.org.cn/hailian/lsml/200804/t20080430_441793.htm。「中國海外交流協會機構」，中國僑網，2008 年 2 月 7 日，請參考 http://www.chinaqw.com/news/200807/30/125223.shtml。「中華全國工商業聯合會」，新華網，2010 年 2 月 7 日，請參考 http://big5.xinhuanet.com/gate/big5/news.xinhuanet.com/ziliao/2004-11/06/content_2183594.htm。「領導機構」，歐美同學會，2010 年 2 月 9 日，請參考 http://www.coesa.cn/aboutUs_leader.htm。「中國和平統一促進會第八屆理事會會長、執行副會長、副會長、秘書長、名譽會長、顧問、常務理事名單」，中國和平統一促進會，2010 年 2 月 9 日，請參考 http://www.zhongguotongcuhui.org.cn/zttch/1/6/200909/t20090925_1008114.html。

---

[48] 負責宣傳工作、會訊編輯和網站管理。

[49] 負責理事工作和聯絡各專委會，指導地方機構工作。

[50] 「機構設置」，中國和平統一促進會，2010 年 1 月 3 日，請參考 http://www.zhongguotongcuhui.org.cn/03jgsz/jgsz.htm。

[51] 「全球華僑華人促進中國和平統一大會在澳門舉行」，中國和平統一促進會，2010 年 1 月 3 日，請參考 http://www.zhongguotongcuhui.org.cn/04jqhd/ago061214.htm。

一、中華全國歸國華僑聯合會（全國政協組成單位）

中國僑聯是由歸僑、僑眷所組成的所謂「全國性的一級人民團體」，也是全國政協的組成單位。其基本職能是「群眾工作、參政議政、維護僑益、海外聯誼」，[52]如表 4-5 所述，其特色如下：

（一）兼具「政治性」與「聯誼性」

中國僑聯最主要功能是「參政議政」與「海外聯誼」，就前者來說，由於其成立在中日戰爭初期，並且在中共建政的過程中扮演重要角色，因此具有政治團體的性質；而當中共建政之後更成為政協的組成團體之一，代表華僑參與政協的政治活動；就後者而言，則屬於「聯誼團體」之功能，透過各種活動之舉辦，積極與海外僑胞及社團聯繫。

（二）朝「專業化」與「分殊化」發展

中國僑聯於 2001 年成立了「中國僑聯華商聯誼會」與「中國僑聯青年委員會」，顯示開始朝向「專業化」與「分殊化」的方向發展，針對從事商業與年輕的華人，進行組織與活動。

二、中國致公黨（全國政協組成單位）

致公黨根據大陸官方說法為「是以中國歸僑、僑眷中的中上層人士和其他有海外關係的代表性人士所組成的」，[53]其特性如下：

[52] 「中國僑聯簡況」，中國僑聯信息網，2010 年 1 月 3 日，請參考 http://www.chinaql.org/ReadNews.asp?NewsID=297。

[53] 「中國致公黨簡介」，中國致公黨，2010 年 1 月 3 日，請參考 http://www.zg.org.

（一）早期具有幫派色彩

致公黨成立甚早，1925 年 10 月 10 日當時中國正處於軍閥割據的局面，來自全球的洪門組織在舊金山召開會議，決定以洪門致公堂為基礎，組織一個華僑政黨。由於該黨與洪門有直接關係，因此具有幫派色彩。而 1947 年致公黨在香港舉行第三次代表大會而進行改組時，決定接受中國共產黨領導，成為支持中共建政的政治團體之一。

（二）為八大民主黨派之一

致公黨因協助中共建政有功，1949 年後在以「中國共產黨領導的多黨合作和政治協商制度」下成為所謂的「參政黨」，為大陸目前合法存在的所謂「八大民主黨派」之一，也是全國政協的組成單位。

三、中華海外聯誼會（中央統戰部白手套）

「中華海外聯誼會」（以下簡稱「中華海聯」），其特色如下：

（一）為中央統戰部白手套

會長一貫由中共中央統戰部部長兼任，由表 4-5 與表 4-2 相較可以發現，統戰部副部長幾乎均兼任副會長。而目前中國海聯與統

---

cn/zgjj/zgdjj.htm。

戰部之地址一樣，[54]各地分會地址亦是該地區統戰部之所在。所以，雖然中華海聯表面上是一民間團體，但事實上卻是統戰部的另一塊招牌。由於許多華僑統戰工作，若以統戰部具名較為敏感，因此以中華海聯之名義較為方便。

（二）最晚成立的華僑黨派群眾團體

中華海聯為各華僑黨派群眾團體中成立最晚者，顯示統戰部在 90 年代中期之後，深刻發現華僑統戰工作的重要性，因此特別成立此一組織。而中華海聯雖然成立最晚，但因憑藉統戰部之龐大資源，使其在僑務工作中的角色日益舉足輕重。

四、中國海外交流協會（國僑辦白手套）

「中國海外交流協會」（以下簡稱「中國海交」），是屬於「全國性民間團體」，以「廣泛聯繫海外華僑、華人及其團體，增進友好情誼，發展合作交流」為宗旨，[55]然而中國海交事實上就是國僑辦的白手套，成為以民間身分對外聯繫之窗口，原因如下：

（一）人事與國僑辦相同

誠如表 4-5 與表 4-2 所示，中國海交除會長是由全國政協副主席錢偉長擔任外，常務副會長的李海峰為國僑辦主任，副會長趙陽、許又聲、馬儒沛、任啟亮為國僑辦副主任，王杰為國僑辦紀檢

[54] 均為北京市府右街 135 號。

[55] 「簡介」，中國僑網，2010 年 1 月 3 日，請參考 http://61.135.142.227:82/gate/big5/www.chinaqw.com.cn/news/2005/0920/68/172.shtml。

組組長，而許又聲亦兼任中國海交秘書長，由此可見兩個單位的人事幾乎完全重複，也就是所謂的「一套人馬，兩塊招牌」。

（二）部門與國僑辦重疊

可以發現中國海交與國僑辦兩個單位的組織部門與職權幾乎一致，國僑辦之「政策研究司」即中國海交之「研究部」，「國外司」即「聯絡部」，「秘書行政司」即「辦公室」，「文教宣傳司」即「文經部」，「國內司」即「國內部」，「經濟科技司」即「經濟科技部」。

五、中華全國工商業聯合會（統戰部外圍組織，全國政協組成單位）

「中華全國工商業聯合會」（以下簡稱「全國工商聯」），如表4-5所述，其成立在中共建政之初推動公有制時期，為了掌控、改造與統戰私營工商業人士，因而成立「全國工商聯」，並為全國政協的組成單位，使其具有參與政治運作的權力，而目前會長黃孟復也身兼第十一屆全國政協副主席。該會之工作方向如下：

（一）以統戰工作為主

「全國工商聯」強調「經濟性、民間性、統戰性」的特質，首先就「經濟性」而言，在其副主席中多數為大陸與港澳地區之大型企業高幹、負責人，或是具經貿背景之學者專家。而就「民間性」來說，由於「全國工商聯」又稱之為「中國民間商會」，因此對外均以非官方機構的身分進行活動。至於就「統戰性」來論，1991年發出的「十五號文件」就指出工商聯「是以統戰性為主，兼有經濟性、民間性的商會組織」；[56]而如表 4-5 所示，該會主席黃孟復就身兼統戰部外圍機構「中國和平統一促進會」副會長；[57]第一副主席全哲洙就是現任統戰部副部長；[58]副主席孫曉華曾任統戰部秘書長，[59]因此全國工商聯可說是統戰部的外圍機構。

（二）強調海外華商之聯繫

隨著大陸對於私營企業的限制逐漸放寬，加上國營企業走向股份化，使得「全國工商聯」的原本功能逐漸萎縮，如表 4-5 所述，其逐漸轉型為負責工商界人士之聯繫、服務與政治甄拔等統戰工作。而該會與海外華商的聯繫更是十分密切，除了每屆「世界華商大會」均派出龐大代表團與會外，2001 年在南京舉辦之「第六屆世界華商大會」，更是由全國工商聯負責主辦。[60]平時與海外之華商社團更是聯繫緊密，例如馬來西亞中華工商聯合會、菲華工商總會、菲華商聯總會、新加坡中華總商會、海內外華人友好商會

[56] 郭瑞華，**中共對台工作組織體系概論**，頁 206。

[57] 「黃孟復社會兼職」，中華全國工商業聯合會，2010 年 1 月 3 日，請參考 http://www.acfic.org.cn/cenweb/portal/user/anon/page/HChairmanChannelCMSPage.page?category=400010040&categoryID=400010&Title=%C9%E7%BB%E1%BC%E6%D6%B0。

[58] 「第一副主席胡德平」，中華全國工商業聯合會，2010 年 1 月 3 日，請參考 http://www.acfic.org.cn/cenweb/portal/user/anon/page/HFirstCoChairmanChannelPage.page。

[59] 「副主席孫曉華」，中華全國工商業聯合會，2010 年 1 月 4 日，請參考 http://www.acfic.org.cn/cenweb/portal/user/anon/page/SCochairmanChannelCMSPage.page?category=400040010&categoryID=400040&Title=%B8%F6%C8%CB%BC%F2%C0%FA

[60] 「世界華商大會概況」，中華全國工商業聯合會，2010 年 1 月 5 日，請參考 http://www.acfic.org.cn/cenweb/portal/user/anon/page/AcficLiaison_CMSItemInfoPage.page?metainfoId=ABC00000000000005007。

等。此外，對於海外華商返回大陸進行投資，亦提供積極之協助與服務。

六、歐美同學會（統戰部外圍組織）

「歐美同學會」是最早成立的華僑黨派群眾團體，民國初年由歐美地區留學生在返國後所成立。在中共建政之後，由於冷戰使得前往歐美留學之人數大幅減少，而成為歸國歐美留學生之統戰組織。該會之工作方向如下：

（一）海外華裔學者為重要工作對象

改革開放後，出國留學人數大幅增加，而國家也不限歐美地區，因此 2003 年 9 月，在江澤民的同意下歐美同學會另立了一塊招牌：「中國留學人員聯誼會」；[61]此外，該會統戰工作對象也從「國內」歸國人員，轉為留居「海外」人員，特別是常居國外的華裔學術界人士，例如該會就特別設置「海外名譽會長」，包括丁肇中、李政道、楊振寧、朱棣文等海外傑出學者，[62]顯見從事學術工作的海外華僑，成為「歐美同學會」拉攏的對象。

（二）與統戰部關係緊密

「歐美同學會」表面上是民間學術組織，但實際上卻是統戰部進行「學術統戰」的外圍單位。首先如表 4-5 與表 4-2 所示，目前

61 「會長致詞」，歐美同學會，2010 年 1 月 3 日，請參考 http://www.coesa.cn/info/content.shtml?Id=832。

62 「領導機構」，歐美同學會，2010 年 1 月 3 日，請參考 http://www.coesa.cn/aboutUs_leader.htm。

統戰部副部長陳喜慶就兼任「歐美同學會」的黨組書記，[63]直接執行該會之相關運作；此外，在 2003 年 12 月該會召開第五屆理事會第一次會議，正式掛上「中國留學人員聯誼會」的招牌時，除由當時統戰部部長劉延東代表中共中央發表講話外，會長丁石孫更公開指出該會是接受中共中央統戰部的指導。[64]由此可見，「歐美同學會」實為統戰部的外圍組織。

七、中國和平統一促進會（統戰部外圍組織）

「中國和平統一促進會」（以下簡稱「統促會」），表面上是由全國人大常委會、全國政協、全國工商聯、民盟、台盟等 23 個單位所組合而成的。[65]但事實上，誠如表 4-5 所示，該會實際負責工作的執行副會長杜青林，為現任統戰部部長，秘書長尤蘭田為統戰部副部長，因此該會可說是統戰部的外圍組織。統促會雖然是在 1988 年成立，但因隔年正逢「天安門事件」致成效有限，直到 1999 年李登輝前總統發表「兩國論」，以及 2000 年台灣政黨輪替，該會於 2000 年 7 月召開第六屆理事大會後，才逐漸發揮功能。[66]基本上，統促會之運作模式與特點如下：

（一）以華僑為工作對象

統促會雖然與中華海聯、全國工商聯、歐美同學會等組織一樣同屬統戰部，但上述三個單位仍屬於「引進來」的「國內統戰」範

63 「歐美同學會第五屆第二次會議在京召開」，歐美同學會，2010 年 1 月 3 日，請參考 http://www.coesa.cn/info/content.shtml?Id=92&Page=3。
64 「歐美同學會第五屆理事會第一次會議在京舉行」，歐美同學會，2010 年 1 月 3 日，請參考 http://www.coesa.cn/info/content.shtml?Id=92&Page=2。
65 田雛鳳，「江澤民僑務思維及政策之研究」，頁 41。
66 田雛鳳，「江澤民僑務思維及政策之研究」，頁 55。

疇，而統促會卻是進行「走出去」的「海外統戰」工作，其中又特別鎖定在華僑。目前由海外華僑所組織的分會已有 170 多個，分布在世界 80 多個國家和地區，不但成為海外反獨促統力量的整合平台，而且透過「以僑為橋」的策略，來進行反獨促統的工作。其中，如表 4-5 所示，統促會除在各個國家成立分支機構外，亦會扶持成立類似之組織，例如統促會就常與位居美國紐約的「海外華僑全球華人反獨促統聯盟」共同舉辦活動。[67]

（二）以大型集會為活動模式

統促會所採取的活動模式，是每年在全球各地舉辦大型集會活動，來凝聚華僑反台獨之力量。由於一次會議均動員數百位華僑參加，加上每次舉辦國的大陸大使館大使與官員均需出席，而大陸內部更會派出龐大之代表團，因此每次大會之費用也甚為可觀。例如 2007 年 8 月歐洲統促會就在匈牙利的布達佩斯舉行「全球華僑華人共建和諧世界促進中國和平統一大會」，而從 2000 年 8 月以來，歐洲統促會就分別舉辦過全球華僑華人反獨促統的柏林大會、莫斯科大會、維也納大會。[68]除了統戰部之外，各種僑務工作體系也都不斷在海外舉辦或參與相關反獨促統活動，例如前述 2007 年 8 月

[67] 全球華人反獨促統聯盟成立於 2000 年 6 月，會長為美國天普大學教授程君復，副會長為孫正中，後因 2005 年程君復去世，由代會長蔡文珠負責處理會務。請參考：「全球華人反獨促統聯盟訪問團拜會民革中央」，團結報，2010 年 1 月 3 日，請參考 http://dqranghulu.gov.cn/printpage.asp?ArticleID=4012。「美華僑華人緬懷全球華人反獨促統領袖程君復先生」，中華人民共和國駐聖保羅總領事館，2010 年 1 月 2 日，請參考 http://www.fmprc.gov.cn/ce/cgsp/chn/lsqw/qwgz/wzqq/t236361.htm。

[68] 「全球華僑華人共建和諧世界促進中國和平統一大會 8 月將在匈牙利舉行」，新華網，2008 年 2 月 23 日，請參考 http://big5.xinhuanet.com/gate/big5/news.xinhuanet.com/overseas/2007-06/19/content_6264277.htm。

的匈牙利大會，包括全國政協、統戰部、國僑辦、國台辦都參與其中。[69]

（三）負責監控華僑與僑社

統促會也兼辦監控華僑與僑社的業務，2005 年尋求澳洲政治庇護的前大陸駐澳領事人員陳用林就明確指出：「一些華人團體，如澳大利亞華人團體協會和中國和平統一促進會就是中共一手操縱成立的，名義上是為了僑團的統一和團結。實際上是更方便於總領館的控制，和對華人的滲透」。[70]

第二節　中國大陸僑務工作體系之交易成本探討

當前中國大陸僑務工作體系的運作模式，透過交易成本理論的分析結果如下：

壹、中國大陸僑務工作體系之搜尋成本分析

誠如第二章所述，在過去資訊傳遞並不發達的時代，藉由耳語間的傳播來獲得相關訊息，藉由直接打入對方陣營或從對方陣營拉出的手段來刺探消息，都是相當耗費成本的作為。即使是今天大眾傳播是如此的普遍快速，電腦網路是如此的無遠弗界，但情報搜集

---

[69] 「全球華僑華人共建和諧世界促進中國和平統一大會 8 月將在匈牙利舉行，新華網，2008 年 2 月 23 日，請參考 http://big5.xinhuanet.com/gate/big5/news.xinhuanet.com/overseas/2007-06/19/content_6264277.htm。

[70] 田雛鳳，「江澤民僑務思維及政策之研究」，頁 49-50。

還是必須花費大量的交易成本。從交易成本的理論來看，政府建立之目的就如同「廠商」（firm）一般，是為了減少交易成本，特別是訊息搜集上的成本；因為政府可藉由其特殊地位，迅速的收集、分析與整理各種訊息，並提供出去而為社會所共享，並成為決策時的重要依據，進而降低整體的訊息成本。

從圖 4-1 可以發現，當前大陸僑務工作的資訊收集管道甚為多元而綿密，這大致可以區分為國內與國外僑情兩大部分，如表 4-6 所示，目前所有與僑務相關的機構均在進行國外僑情之搜集，因為相關資訊往往直接影響大陸的對外關係，其中除了僑胞與僑社的動態外，更可藉此延伸到外交、經貿、軍事與對台工作等領域的資訊；也因為國外僑情來自海外，在時空差距與外國政府的刻意防範下，其搜集較為不易，使得由多元的單位來進行「複式收集」時，可以從不同的角度與管道獲得所需的資訊，並且能夠藉由相互間的交叉比對，來驗證資訊的真偽，如此使得海外資訊的「量」與「質」均能大幅提昇。因此，北京當局能夠透過較低的搜集訊息成本，獲致質量兼具的海外僑情。

另一方面，包括全國政協、全國人大、國僑辦、統戰部、中國僑聯、中國致公黨、中華海聯、中國海交、全國工商聯、歐美同學會等，均有綿密聯繫而由中央集權的地方組織；以國僑辦來說，其在北京等 30 個省、市、自治區均設有地方僑辦，60%的縣級行政區亦設有僑辦，總數超過 1,300 個；而從中央到地方，僑務工作人員更多達 20 餘萬人，[71]這些地方僑辦猶如國僑辦之耳目，方便搜集各地方之僑務資訊，並迅速將其彙整到北京的國僑辦，如此對於大陸當局來說，亦可降低其搜集國內訊息之成本。

[71] 田雛鳳，「江澤民僑務思維及政策之研究」，頁 59。

表 4-6　中國大陸僑務組織僑情搜集整理表

單位	國內僑情	國外僑情	單位	國內僑情	國外僑情
全國政協港澳台僑委員會	●	●	全國人大華僑委員會	●	●
國僑辦	●	●	統戰部	●	●
華文基金會		●	漢語小組		●
外交部		●	國安部		●
國台辦		●	國防部		●
教育部		●	中國僑聯	●	●
致公黨	●	●	中華海聯	●	●
中國海交	●	●	全國工商聯	●	●
歐美同學會	●	●	統促會		●

資料來源：筆者自行整理

貳、中國大陸僑務工作體系之協商成本分析

從大陸僑務工作體系的運作上可以發現，雖然外事小組可以降低政治決策高層在協商僑務政策上的交易成本，但在實際運作與落實政策時，各單位之協商成本卻相當驚人，分別敘述如下。

一、外事小組可降低最高僑務政策的協商成本

諾斯認為，交易可以區分為個人之間的「人情交易」（personalized exchange）與「非人情交易」兩種，前者相較於後者而言，其買賣的行為是同時同地發生的，參加交易的人很少，買賣雙方有完整的訊息，加上專業性低與市場範圍小，使得交易過程相當簡單，因此其生產成本可能很高，但是交易成本卻不高。不過，隨著交易專業

化與分工化的急遽發展，買賣之間是可以跨越時間與空間的，參加交易的人不但增加而且複雜，如此獲得完整訊息的機會越來越低。而專業化與分工化固然能帶來生產成本的降低，但隨之而來的投機性行為，諸如詐欺與違約等，卻使得買賣雙方必須要有防範的措施，這些措施所產生的交易成本有時甚至是超過所減少的生產成本。因此，分工與專業化固然降低了生產成本卻反而增加了交易成本，當交易成本大到一定程度時，甚至會限制到分工與專業化的發展。[72]

隨著大陸外事工作牽涉的範圍日益擴大，各單位專業化與分工化的結果，使得所謂「非人情交易」情況更為明顯，為了使外事相關事權能夠統一，將與外事有密切關聯之單位，包含外交、僑務、經貿、國防、國安、統戰、對台等部門，均一併納入外事小組。該小組之組長一職通常是由中共中央總書記擔任，[73]因此可藉其崇高之政治地位來整合不同意見，這對於牽涉其他單位的僑務與外事政策來說，其政策產出的協商成本即可藉由外事小組來降低。特別當年僑務政策的「多維開展階段」中，外事小組這個平台功能更被凸顯。

二、國僑辦可透過外事小組降低協商成本

對國僑辦來說，也能夠透過外事小組與其他黨、政、軍系統之部委辦進行溝通協調，一方面可以降低協商之成本；另一方面也可藉此了解其他部委辦在外事工作上的發展方向與主要政策。由於當前有關外事之部委辦呈現相互「競合」的情況，因此「知己知彼」

---

[72] 諾斯（Douglass C. North）著，劉瑞華譯，**制度、制度變遷與經濟成就**（台北：遠流出版公司，1995 年），頁 37。

[73] 許志嘉，**中共外交決策模式研究**，頁 139。

甚為重要，職是之故，外事小組也成為國僑辦以最低搜集訊息成本，獲得其他部委辦有關華僑工作資訊之管道，以及提早了解中央政治局在外事與僑務工作上的新方向。

三、整體之協商成本甚為驚人

從圖 4-1 可以發現，大陸目前有關僑務工作之部門不斷擴大，除了國僑辦之外，舉凡人大、政協、中共統戰系統、教育部、國安部、外交部與國防部，加上各單位所屬類似「非政府組織」（Non-Government Organization, NGO）的民間白手套組織、駐外單位、地方組織，使得體系日益繁雜，彼此的職權也產生混雜不清的情況。誠如前述，當產權越明晰與風險的透明度越高，當參與協商的人數較少且較為集中，則消耗的協商成本就越少。由於大陸僑務工作體系之參與協商單位甚多，因此其協商成本極為驚人。而在協商的過程中，各方均在不斷評估對方的風險與可能的讓步範圍，這種估算的錯誤與否，不但攸關著協商的成敗，更必須耗費相當的成本，而當估計的變數越複雜則此一對策成本也就越明顯。

另一方面，在各部委辦為求各自利益的情況下，評估其他部委辦的成本也相當高。從交易成本的角度來說，倘若在政府中的公務人員，逐漸成為一種既得利益的團體時，為了自身利益必須花費大量資源，而與其他機構進行周旋，結果可能擴大了整個社會的交易成本；[74]當前僑務工作日益重要，獲得行政資源容易，包括經費挹注、員額增加、可出國參訪、有利招商引資等，因此各部門在「有利可圖」的情況下紛紛投入，但彼此因為「自利」所產生的斡旋與協商，卻造成社會整體交易成本的增加。

---

[74] 樊綱，**經濟文論**（北京：三聯書店，1995 年），頁 134。

誠如前述，目前僑務工作中最主要的競合關係包括，國僑辦與統戰部、外交部，以及國僑辦與教育部。

（一）國僑辦與統戰部相互競合所生的協商成本

由於統戰部在職能上直接牽涉到僑務工作，使得與國僑辦的協商成本甚高，分述如下：

1. 僑務政策由誰主導的協商成本

如表 4-2 所示，國僑辦可說是大陸專門針對僑務進行總體政策規劃與執行的機構。而對於統戰部來說，僑務雖然只是其諸多工作的一項，但其影響力卻不遜於國僑辦，原因是僑務始終是統戰部的重點工作，尤其在 1990 年代以後更受重視，如表 4-5 所示，直屬於統戰部的中華海聯，為各華僑黨派群眾團體中成立最晚者，顯示統戰部在 1990 年代中期後，發現華僑統戰工作的重要性。基本上，長期以來在「以黨領政」的政治運作模式下，統戰部既然隸屬於黨且為唯一牽涉僑務工作之機構，應該是可以領導政府體系中的國僑辦，但卻也不能否認國僑辦過去以來在僑務工作上的專業性角色。因此，一個是統戰工作的最高主管機構，另一則是政府體系中唯一負責僑務的專責部門，在當前僑務成為統戰工作熱點的情況下，雙方在僑務政策究竟由誰掌握主導權，其協商成本也就因而產生。

2. 雙方「白手套」間的協商成本

誠如表 4-5 與表 4-2 所示，中國海交與國僑辦的人事與組織幾乎完全重複，因此可說是國僑辦的白手套，成為以民間身分代替國僑辦對外聯繫之窗口。

而統戰部雖然不是專責僑務工作，但其有關僑務工作的白手套卻比國僑辦的數量還多，包括中華海聯、全國工商聯、歐美同學會與統促會等，形成統戰部領導下的龐大僑務「白手套運作體系」。誠如前述，中華海聯會長、副會長均由統戰部部長、副部長擔任，而中華海聯與統戰部之地址均為北京市府右街 135 號，各地分會地址亦是該地區的統戰部，由此可見因為華僑統戰工作，若以統戰部具名較為敏感，因此以中華海聯之民間團體名義較為方便。而歐美同學會表面上是民間學術組織，但實際上卻是統戰部針對海外華裔學者進行「學術統戰」的外圍單位。至於統促會誠如前述，該會實際負責會務的執行副會長就是統戰部部長杜青林，因此該會也屬統戰部的外圍組織。

由以上敘述可知，由於統戰部與國僑辦在僑務政策的主導權上，原本就存在著「競合關係」，加上兩單位各有其白手套體系，雙方在實際工作若遇到爭論時，勢必產生協商成本。

3. 海外僑情調研與對外宣傳的協商成本

如表 4-2 所示，海外僑情的資訊搜集，可說是國僑辦「國外司」最重要的工作，這使得國僑辦成為海外僑情匯集的資訊站；而大陸各駐外使領館均有國僑辦派出之人員擔任「僑務領事」，專責華僑聯繫工作；而為了針對海外華僑進行宣傳，以降低華僑對於大陸的「資訊不對稱」現象，故國僑辦下設「文教宣傳司」。

但另一方面，統戰部近年來也不斷在海外針對華僑進行宣傳，其中尤以統促會最為重要。誠如前述，統促會主要是進行「海外統戰」工作，其中又特別鎖定在華僑，以進行反獨促統的宣導，其不但在全球各地舉辦大型的反獨促統集會活動，更代替統戰部在海外監控華僑與僑社。另一方面，統戰部所屬的歐美同學會，亦積極進行海外學術界的統戰工作。由此可見，統戰部透過統促會與歐美同學會，進行各種海外僑情調研與宣傳工作，這與國僑辦產生了明顯的競合關係，如此亦使得兩單位必須協調溝通，以避免雙方相互牽制，因而也產生了協商成本。

4. 招商引資由誰主導的協商成本

改革開放以來，在招商引資的前提下，華僑「引智引資」成為僑務工作的重要項目。如表 4-2 所示，國僑辦的「國內司」與「經濟科技司」就負責相關工作。另一方面，統戰部也積極進行海外華商的聯繫，統戰部的職掌就包括「負責聯繫聯繫海外工商社團和代表人士」，並由其「第五局」（經濟局）負責。此外，統戰部所屬的「全國工商聯」也扮演白手套角色，負責聯繫與統戰海外華商。由此可見，針對海外華商的招商引資與聯繫服務，國僑辦與統戰部產生了競合關係，使得兩個單位在運作過程中難免產生競爭，甚至是相互制約，如此雙方的協商成本也就因而產生。

（二）外交部與國僑辦相互競合所生的協商成本

外交部的僑務工作可說與國僑辦有相當之重疊，如表 4-4 所示，僑務原本就是外交工作的一環，並由領事司負責。也因此早在中共十六大閉幕之後，就盛傳國務院會依照十六大關於「繼續推進政府機構改革」的精神，進行部、委、辦之精簡，其中國僑辦將「裁撤」並將工作移給外交部。[75]雖然國僑辦事後並未裁撤，卻顯示兩個單位間工作的重複性。在 2006 年 4 月所羅門群島發生騷亂時，大陸外交部領事司透過駐巴布亞新幾內亞、澳大利亞與紐西蘭的使館進行領事保護，成功撤僑約 600 人，在記者會上「中新社」記者

[75] 永逸，「國務院港澳辦是否今波政府機構改革的對象」，新華澳報，2008 年 3 月 3 日，請參考 http://www.waou.com.mo/wa/2003/02/20030226a.htm。

提出了質疑：「領事司的工作很大程度上涉及到華僑僑務工作，請問領事司的工作和國僑辦的工作是否有重疊的地方？是否有替代國僑辦的趨勢？」，當時外交部領事司副司長魏葦則相當謹慎的回答：「我們從事的工作有一部分是重合的，但有很大的不同。國務院僑辦主要從事的是國內的僑務工作以及一部分國外的僑務工作，我們外交部領事司從事的是國外的僑務工作，我們兩個單位的關係是相互幫助、相互協助、相互補充的關係。在國外的僑務工作方面，我們外交部也得到了國僑辦的大力支持，我們合作得非常好」，[76]由此可見，國僑辦與外交部在工作上的確出現了「競合關係」，甚至有相互「踩線」的矛盾。職是之故，國僑辦與外交部表面上是合作無間，但彼此為求績效表現與獲致更多行政資源，加上國僑辦近年來對於海外僑務工作展現相當之企圖心，使得雙方的矛盾與衝突也浮上檯面，而協商成本也就應運而生。但短期來說，由於外交部被稱為「天下第一部」，而國僑辦只是國務院的辦事機構，加上外交部在海外僑務工作紮根已深，以及國僑辦人員若一出國外交部就能完全掌控，使得國僑辦仍難以在海外僑務工作與外交部分庭抗禮。也因此擔任國僑辦專家諮詢委員會委員的中國社會科學院世界歷史研究所研究員丘立本認為，隨著大陸外交由「外交為國」向「外交為民」延伸，外交部與國僑辦的一些職能的確需要協調，他指出「畢竟在國外，你一個國內機構不能直接去辦，只能通過領事」。[77]

---

[76] 岑默，「李海峰出任國僑辦主任，提倡細節決定成敗」，南方人物專刊，2008年2月17日，請參考 http://magazine.sina.com/southernpeopleweekly/000/2007-05-21/06068073.shtml。

[77] 岑默，「李海峰出任國僑辦主任提倡細節決定成敗」，南方人物專刊，2008年2月17日，請參考 http://magazine.sina.com/southernpeopleweekly/000/2007-05-21/06068073.shtml。

（三）華文基金會與漢語小組相互競合所生的協商成本

華文基金會表面上看來是一跨部委的官方組織，但誠如前述，其業務主管單位是國僑辦，而包括副理事長、秘書長與監事皆是國僑辦人員。基本上海外華文教育應屬於教育部，但此一工作卻由國僑辦主導，顯示在海外華文教育的推動中，華僑是重要的受教對象。至於漢語小組表面上是非政府機構，但實際上是教育部的下屬事業單位。由於漢語小組的職能中多與華文基金會接近，因此國僑辦與教育部在海外華文教育工作上產生了競爭，如此也就產生兩個單位在協商上的交易成本。

參、中國大陸僑務工作體系之監督與估算成本分析

從交易成本理論中可以發現，當違反契約的行為越容易觀察時，監督的成本便隨之降低；而當評估的精確性要求越高時則估算成本亦隨之提升。[78]當前大陸各僑務單位如圖 4-1 所示，可說是各成系統與相互競合，彼此在爭奪有限行政資源的情況下，造成各個體系的資訊公開有限，使得各單位的作為不容易被觀察；此外，近年來政府隱瞞真相與地方欺瞞中央的情事層出不窮，官員貪污腐化的尋租行為難以根除，都顯示大陸政治體制監督與估算的困難，也因此胡錦濤在 2007 年 11 月所舉行的第一次政治局集體學習會上，就指出當前中共領導上出現了「管治危機」；[79]加上大陸缺乏民主

---

[78] Yoram Barzel, “Measurement Cost and The Organization of Markets,” *The Journal of Law and Economics,* Vol. 25, No. 1(April 1982), pp. 27-48.

[79] 江迅，「胡錦濤警告諸侯中共面對管治危機」，亞洲週刊網站，2008 年 3 月 11 日，請參考 http://www.yzzk.com/cfm/Content_Archive.cfm?Channel=

國家的反對黨、民選國會、新聞媒體、獨立司法的監督與制衡，使得對於大陸領導高層來說，當面對每一個單位都無所不用其極的展現自身對於僑務工作之績效，並不斷舉辦目不暇給的活動時，其中多少為真，多少為假，經費使用是否得當而無貪腐，其監督與估算成本都是相當巨大的。特別是許多僑務工作是在海外進行，其監督與估算的困難程度增加，成本也大幅提高。誠如樊綱所說，當我們在認定政府對於降低交易成本的積極性意義時，也不得不正視政府這個科層體制所可能帶來的監督成本問題；[80]當大陸不斷增加僑務相關組織，固然可以透過綿密的資訊網絡來降低訊息搜集的成本，但其監督與估算成本也隨之大幅增加。

另一方面，從個別僑務工作體系來說也有此一現象，例如統戰部透過所屬的諸多民間團體來作為白手套，然而要監督與估算其運作績效，勢必耗費相當之交易成本；特別是如歐美同學會與統促會，其活動與運作多在海外，使得監督與估算更為困難。

肆、中國大陸僑務工作體系之代理成本分析

大陸在僑務工作中的黨政部門，委託了許多看似 NGO 與「非營利性組織」的群眾團體來執行，這些「代理人」因角色不具官方的敏感性，因此在工作上較具彈性，一方面能以較小的搜尋成本來獲致資訊，另一方面其所獲致訊息的可靠程度也較高。但愛格特森（Thrainn Eggertsson）指出，當代理人與委託人間的信息分布不對稱時，而委託人對於代理人的監督成本又相當高時，則代理人就有可能進行投機活動（shirking or opportunistic behavior）；[81]而在這種

---

ae&Path=219152501/50ae1a.cfm。

[80] 樊綱，**經濟文論**，頁 134。

[81] Thrainn Eggertsson, *Economic Behavior and Institutions*(Cambridge: Cambridge

代理過程中，不論是契約的訂定、彼此的協商或是衝突的解決，都必須耗費相當的成本。誠如前述，由於這些擔任代理人的群眾團體，其多數都是黨政部門的白手套或附屬單位，完全聽命於委託人而無自主空間，甚至雙方部門主管的人員也多數雷同，例如中國海交與國僑辦；中華海聯與統戰部。由此可見，其委託人與代理人雙方在信息分布不對稱的情況相當有限，如此也使得委託人對於代理人的監督成本，雙方之協商或衝突解決的代理成本均不會太高。

伍、中國大陸僑務工作體系之內部治理成本分析

對於大陸僑務工作體系中的內部治理成本，即判斷與度量該體系對於資源是否過度使用而進行限制時，所必須要支付的人力、物力與財力的「管制成本」，這包括了相關訊息的收集與專門管制機構的成立。我們可以發現在胡錦濤時期的僑務「多維開展階段」中，僑務工作已經與外交發展、國家安全、對外經貿、海外文教、統一戰線與對台工作緊密聯繫，成為外事工作大戰略下的重要環節，也日益受到重視，加上大陸綜合國力的迅速提升而能投入更多資源，使得僑務工作相關體系在「自利」的情況下，也無所不用其極的爭取更多行政資源來舉辦活動。但是誠如前述，由於大陸僑務相關體系甚為複雜，因此其領導高層要了解相關資源是否運用合宜，也就甚為困難，如此使得內部治理成本增高。所以，我們可以看到目前大陸僑務相關單位的大型活動舉辦不斷，然而性質重複者比比皆是，實際效果也讓人質疑，但卻未發現專門管制機構的成立，顯然也是因為管制成本過高的原因所致。

University, 1990), p. 41.

第五章　從兩岸外交休兵看僑務休兵之可能性

2008 年 3 月 22 日馬英九先生當選中華民國總統，除了使得台灣完成了第二次的政黨輪替外，更讓停滯近十年的兩岸協商得以恢復。尤其當馬英九於 5 月 20 日就職後，受到國際金融風暴的影響下所面臨的經濟情勢十分嚴峻，因此馬政府遂將經濟發展的希望寄託在中國大陸；6 月 11 日，停滯長達近十年的海峽交流基金會（以下簡稱海基會）與海峽兩岸關係協會（以下簡稱海協會）協商終於恢復。除了使得兩岸得以推動週末包機直航與大陸觀光客來台，更使得兩岸從 1949 年分治以來，在外交與僑務上的對立與攻擊可以走向和緩。基本上，僑務工作與外交不但是一體之兩面，更有相輔相成之效，外交工作若無僑務作為協助，則推展勢必事倍而功半；而外交政策的改變也會直接影響僑務政策，更重要的是當兩岸在外交上劍拔弩張時，雙方僑民正是這場外交戰中相互對抗的要角。

第一節　兩岸外交休兵的發展與影響

兩岸從 1949 年因國共內戰分治之後，基本上仍然延續武裝對峙情勢，台灣積極準備反攻大陸，而大陸也絕不放棄解放台灣，加上全球處於美蘇兩大強權對抗的冷戰架構下，使得兩岸關係始終緊張，外交上更是劍拔弩張。大陸不斷進行對於我國在國際空間上的壓制作為，更透過各種手段拉攏與壓迫我國邦交國，迫使與我斷交。從 60 年代開始，我國邦交國數量大量銳減，1971 年被迫退出聯合國，1972 年台日斷交，1979 年台美斷交，使得在蔣中正主政時期「漢賊不兩立」的外交政策面臨極大考驗。蔣經國主政時期，雖然兩岸關係大幅改善，1987 年我政府宣布解除戒嚴，並開放民眾赴大陸探親，但大陸在外交上的打壓卻未有任何放鬆，1988 年時我國邦交國僅有 21 個，與 1971 年退出聯合國時的 54 個差距甚大。[1]

1988 年李登輝接任總統後，隨著 1989 年蘇聯與東歐等共產政權的垮台，冷戰趨於和緩，因此兩岸關係得以迅速開展，1991 年行政院大陸委員會與海基會相繼設立，行政院院會通過「國家統一綱領」，我政府並宣告終止動員戡亂時期；而大陸海協會也在北京相應成立，但兩岸關係的改善並未反映在大陸對我國國際空間上的態度。特別是 1995 年 6 月 7 日李登輝赴美進行私人訪問，大陸認為台灣是企圖將兩岸問題國際化，因此一方面嚴詞批判另一方面展開導彈試射的「文攻武嚇」，兩岸關係陷入低潮；2000 年，政治立場上傾向台灣獨立的民主進步黨獲得政權，陳水扁當選總統，2004 年陳水扁再次連任，如此使得兩岸關係更是降至冰點，雙方在外交上幾乎是呈現「零和競爭」的對立態勢。

---

[1] 黃奎博，「從零和走向雙贏：我國活路外交的戰略轉折」，蔡朝明主編，**馬總統執政後的兩岸新局：論兩岸關係新路向**（台北：兩岸交流遠景基金會，2009 年），頁 87-101。

壹、兩岸外交休兵的背景

誠如前述，兩岸在長達近 60 年的外交對立後，要談休兵甚為不易，但由於造成雙方資源的極大耗費，加上兩岸關係的和緩，因此朝向休兵的發展，其原因如下：

一、對台灣而言的發展背景

對於台灣來說，提出外交休兵的原因與背景如下所述：

（一）烽火外交台灣並未獲利

雖然從 1949 年開始，中共就對於台灣進行外交上的打壓，但不論蔣中正與蔣經國時期，我國均採取「守勢」的「敵來我走」政策，且避免將兩岸關係國際化；李登輝時期雖然希望將兩岸關係國際化，試圖透過所謂「務實外交」打開台灣外交的困境，但由於外交人員的作為依循過去，加上國際環境因素，使得效果有限且僅限於經貿領域，包括台灣加入 APEC 與世界貿易組織（World Trade Organization ,WTO）。因此當 2000 年民進黨執政後，採取的是突破過去保守作法的「攻勢」作為。基本上，這的確反映出台灣民眾對於以往保守作法的不滿，以及對於攻勢作為的期待，其具體作法上如下所述：

1. 拒絕承認九二共識

民進黨不承認 1992 年海基會與海協會所共同接受的「九二共識」，因認為該共識並無具體文字與文書；並且堅決反對一個中國的相關論述，以避免陷入國民黨執政時期，兩岸在國際間爭奪「一個中國」詮釋權的泥沼。也因此採取了包括擱置「國家統一綱領」、廢除「國家統一委員會」、強調「台灣中國，一邊一國」等作為。

2. 積極強化對外宣傳

透過國際媒體與公關策略，宣揚台灣在政治與文化上的獨立性，塑造「台灣文化」與中華文化的差異性、凸顯台灣的「民主價值」、建構「台灣主體」的價值觀與國際意向。

3. 結合國際「反中勢力」

透過政府資源，與西藏及新疆獨立運動、日本右翼政治勢力、強調「中國威脅論」之人士、海外中國民運人士等所謂「反中勢力」進行結合，並予以經費援助。

4. 採取烽火外交作為

透過元首出訪，進行所謂「元首外交」、「過境外交」，以「突襲」方式尋求出訪與外交突破，一方面藉此凸顯國際能見度，另一方面將「出口轉內銷」，把在海外的所謂「突破」作為國內政治宣傳與操作的題材。此外，在「烽火外交」之下，製造與大陸之間的衝突點，倘若大陸因而受到激怒而對台灣口出惡言或採取激烈手段，除了可以在國際間塑造大陸「以大凌小」之形象與台灣的弱者角色外，更可以凝聚台灣內部的共識來一致對抗大陸。

5. 推動民粹運作模式

利用群眾運動與情緒字眼，製造與大陸之間的對立，並藉此凝聚國內的共識，包括舉行大型之「牽手護台灣」、「全民公投加入聯合國」等相關運動。

然而從 2000 至 2008 年的 8 年間，民進黨運用上述較為激進與衝撞的作法，不但台灣的邦交國數量沒有增加反而減少，[2]而且造成兩岸關係的緊張，進而形成東亞地區的衝突爆發點。這使得台灣被稱之為「麻煩製造者」(trouble maker)，甚至原本較為支持陳水扁的美國小布希政府，也轉為對台灣不友善。這使得兩岸的外交對抗，台灣無法從中獲得實質利益，因此當馬政府執政之後開始推動所謂的「外交休兵」。

（二）中國大陸綜合國力的快速崛起

2006 年 2 月大陸的外匯存底正式突破了 1 兆美元，超越日本而成為世界第一；[3]2007 年成立了第一個主權財富基金（sovereign wealth funds)，由於其規模高達 2,000 億美元，在全球排名第六，因此受到國際間的高度矚目，加上從 2008 年發生的全球金融風暴，使該基金成為各國資金短缺下的活水源頭。另一方面，大陸成為僅次於美、日的全球第三大經濟體，使得國際間提出了「G2」這個名詞，也就是美國與大陸將主導全球經濟，而大陸也開始試圖與美國爭奪世界霸權的地位。[4]

當大陸綜合國力快速增長的時候，對於我國邦交國自然形成相當明顯的吸引力。2007 年 6 月 1 日大陸外交部長楊潔篪與我國前友邦哥斯大黎加外交部長烏加特(Bruno Stagno Ugarte)簽署協定，透過外匯存底買下哥國的 3 億美元政府債券，並向哥國贈予 1.3 億

---

[2] 2000 至 2008 年，我國雖然增加了吉里巴斯、諾魯與聖露西亞 3 個建交國家，但卻失去了 9 個邦交國。

[3] 「中國歷年外匯儲備總表」，新浪財經網，2007 年 10 月 8 日，請參考 http://finance.sina.com.cn/focus/whtzgs/。

[4] 李明賢，「外交休兵：Chaiwan 援外，對立變互利」，聯合報網站，2009 年 6 月 29 日，請參考 http://www.worldjournal.com/printer_friendly/2852376。

美元，條件就是哥國需與我國結束長達 63 年的外交關係，並與大陸建交。[5]另一方面，我國的主要邦交國集中在拉美國家，而近年來當地幾乎都是左派政黨執政，包括尼加拉瓜的奧蒂嘉（Daniel Ortega Saavedra）、巴拿馬總統馬蒂內利（Ricardo Martinelli），這使得大陸若要挖我外交牆角，甚為輕而易舉。因此，倘若不採取外交休兵，不但我國的邦交國會失去更多，也將耗費更多資源來維繫邦交，甚至讓若干邦交國予取予求，而事實上以台灣的客觀條件來說，已經無法提供友邦更多的經濟援助。

二、對中國大陸而言的發展背景

當前大陸在國際上的影響力正不斷增加，對於台灣的國際空間形成更大壓力，因此外交休兵似乎只是對於台灣有利，但為何大陸也願意配合進行，原因如下：

（一）胡錦濤深知兩岸關係已出現變化

2002 年的中共十六大，胡錦濤接任總書記；2003 年 3 月於第十屆全國人大一次會議上正式獲選為國家主席，2004 年召開的中共十六屆四中全會，胡錦濤獲選為中共中央軍事委員會主席，正式成為掌握黨、政、軍大權的第四代領導人，也開始完全主導對台事務。不可諱言，長期以來在對台工作上，軍方與外交體系一直扮演「鷹派」的角色，每當兩岸關係發生波折時，軍方「請戰」之聲就會出現，外交體系要求奪取台灣邦交國的看法也會成為「主旋律」，這在江澤民主政時期最為明顯。

---

5 大陸新聞中心，「去年中共砸外匯存底斷台哥邦交」，中時電子報網站，2008 年 9 月 13 日，請參考 http://news.chinatimes.com/2007Cti/2007Cti-News/2007Cti-News-Content/0,4521,110501+112008091300059,00.html。

然而胡錦濤認為當 2000 年民進黨執政後，顯示台灣民意已經有了結構性的改變，強硬作法勢必造成台灣民眾對大陸的更加反感，使得兩岸關係漸行漸遠。因此，2003 年 3 月，胡錦濤於第十屆全國人大一次會議上提出了「關於對台工作的四點意見」中，分別是：「要始終堅持一個中國原則、要大力促進兩岸的經濟文化交流、要深入貫徹『寄希望於台灣人民』的方針、要團結兩岸同胞共同推進中華民族的復興」；對於其中的「寄希望於台灣人民」，胡錦濤又提出了所謂「三個凡是」：「凡是有利於台灣同胞的事，凡是有利於祖國統一的事，凡是有利於中華民族偉大復興的事，應該積極去做，把它做好」。[6]2005 年 3 月於全國人大十屆三次會議，在會中胡錦濤又發表四點「絕不」談話，提出：「堅持一中原則絕不動搖，爭取和平統一努力絕不放棄，貫徹寄希望於台灣人民方針絕不改變，反台獨分裂活動絕不妥協」。

然而，軍方與外交體系因掌握相當政治資源，並不完全接受胡錦濤在對台工作上所採取的細膩懷柔路線與顧及台灣民眾感受之作法。因此胡錦濤一方面於 2005 年 3 月藉由全國人大十屆三次會議通過了「反分裂國家法」，使對台動武的條件限縮在一定範圍，從而降低軍方「請戰」之壓力；另一方面，當 2008 年馬政府有別於民進黨而願意接受一個中國架構下的「九二共識」後，則「投桃報李」的對台灣所提之「外交休兵」不予反對，這對於一貫強硬的外交體系來說才具有說服力與正當性，而胡錦濤對台工作的意志與戰略也才得以貫徹落實。

所以，當台灣 2008 年 3 月大選後的第四天（3 月 26 日），胡錦濤在與美國前總統布希電話對談時，援引過去與國民黨榮譽主席連戰會談時的共識，倡議兩岸在「九二共識」基礎下恢復協商談

---

[6] 中央社，「胡四點並列江八點中共對台新基調」，中央通訊社網站，2009 年 5 月 28 日，請參考 http://tw.news.yahoo.com/040928/45/10qa3.html。

判，外界即已意識到，胡錦濤將親自主導對台政策，並且勢必將更為靈活務實。

在台灣總統大選塵埃落定後，蕭萬長在4月11日以準副總統當選人的身分前往海南參加了博鰲論壇，並與胡錦濤見面，蕭萬長率先提出了「正視現實、開創未來、擱置爭議、追求雙贏」的十六字方針。[7]而當時內定出任海基會董事長的國民黨副主席江丙坤，也在同月24到27日，前往大陸上海、昆山、廈門、深圳4個城市，表面上是向台商謝票，但實際上是再度測試兩岸恢復談判的可能性。4月29日胡錦濤在會見應邀來訪的連戰時，提出「建立互信，求同存異，擱置爭議，共創雙贏」十六字方針，[8]這不僅是對蕭萬長在博鰲論壇所提十六字方針的回應，更含納了對台灣最新政局發展的思考。

5月17日，就在四川發生大地震而大陸舉國上下忙於救災之際，國台辦主任陳雲林透過新華社宣布，胡錦濤邀請國民黨主席吳伯雄率團訪問大陸。5月26日吳伯雄即前往南京與北京訪問，並且會見了胡錦濤。「528吳胡會」後，敲定了「6月復談、7月包機、8月奧運、9月熊貓來台」等共識，其中對於馬英九提出的開放陸客來台與直航兩大要求，胡錦濤都立刻釋出善意回應，公開指出「這兩件事完全可以在最短時間內辦成、辦好」；[9]而在5月28日「吳胡會」後的15小時內，大陸海協會隨即發函海基會確認復談時程；29日，新華社發布海協會邀請江丙坤於6月11日訪問北京的訊息，[10]

---

7 「胡蕭會：務實開放開創未來」，國際日報網站，2008年8月18日，請參考 http://www.chinesetoday.com/news/show/id/56020。

8 「胡錦濤：國共兩黨應建立互信、擱置爭議、求同存異、共創雙贏」，中國網，2008年8月18日，請參考 http://big5.china.com.cn/overseas/txt/2008-05/28/content_15532213.htm。

9 「胡錦濤:最短時間辦好周末包機和大陸居民赴台游」，新浪新聞網，2008年8月19日，請參考 http://news.sina.com.tw/article/20080528/396804.html。

10 「大陸海協會邀請海基會6月組團北京商談」，海峽資訊網，2008年8月18日，請參考 http://www.haixiainfo.com.tw/10873.html。

以對於陸客來台等議題進行談判。6 月 13 日海基會董事長江丙坤、海協會會長陳雲林在北京釣魚台國賓館慶功廳正式簽署兩項協議文件，分別是「海峽兩岸周末包機會談紀要」與「海峽兩岸關於大陸居民赴台旅遊協議」。[11]

由此可見，在胡錦濤的積極主導下，大陸在對台工作上採取的是「快節奏」的進行模式，並充分展現其主導兩岸互動情勢的強烈意圖，而其中「經貿交流先行，政治協商在後」的模式也已經悄然啟動；至於台灣所提的外交休兵，也在有利兩岸關係發展的前提下，讓胡錦濤與大陸外交體系「有條件的不反對」。

（二）將外交與對台工作相結合

2008 年 5 月下旬，大陸啟動了海協會的改組，由熟悉兩岸事務的前國台辦主任陳雲林擔任會長，並由前駐日大使與外交部副部長王毅，接替退休的陳雲林，擔任中央台辦、國台辦主任。胡錦濤之所以把難得歷史機遇下的對台工作重任，交給出身外交體系的王毅，而非過去傳統的統戰體系，最主要的原因，一方面是要借重王毅的外交長才，以推動未來兩會商談台灣國際空間的問題；另一方面則是藉由王毅作為與「鷹派」外交體系的溝通橋樑。

（三）滿足台灣民眾參與國際活動的需求

民進黨在 2004 年再度於總統大選中獲勝而得以繼續執政，使得大陸不得不去面對此一政治現實。故胡錦濤的對台工作在態度方

[11] 林庭瑤、何榮幸、王銘義，「江陳簽署包機、陸客兩協議」，中時電子報網站，2008 年 6 月 14 日，請參考 http://news.chinatimes.com/2007Cti/2007Cti-News/2007Cti-News-Content/0,4521,110501+112008061400069,00.html。

面，轉變為細膩懷柔而採感性訴求，強調必須兼顧台灣民眾的感受，這與江澤民時期對台採取「文攻武嚇」，透過強硬談話與飛彈試射造成台灣民眾極度反感形成強烈對比。與過去不同的是，大陸對台政策始終不願意去碰觸台灣的國際空間問題，因為這勢必會觸及所謂「一中一台」、「兩個中國」等大陸一貫反對的敏感議題，也會讓台灣產生對於「獨立」的期待，因此對台工作完全是與國際問題脫鉤。但胡錦濤深知這是台灣民眾相當在意與希望達成的理想，也是民進黨始終以此攻擊大陸與增加內部凝聚的工具，因此大陸已經無法再迴避而必須予以面對。2008 年 12 月 31 日中共中央在北京舉行紀念「告台灣同胞書」發表 30 週年的座談會，胡錦濤在講話中正式提出了「開創兩岸和平發展的六點意見」，外界簡稱為「胡六點」，其中在「維護國家主權，協商對外事務」方面，胡錦濤強調「我們了解台灣同胞對參與國際活動問題的感受，重視解決與之相關的問題」，「台灣參與國際組織活動問題，在不造成兩個中國、一中一台的前提下，透過兩岸務實協商作出合情合理安排」；對於台灣所倡議的兩岸「外交休兵」，胡錦濤回應說：「兩岸在涉外事務中，避免不必要內耗，有利於增進中華民族整體的利益」。[12]

貳、兩岸外交休兵的內容與影響

2006 年 3 月間當馬英九總統訪問美國時，提出兩岸「暫行架構」（modus vivendi），當中 modus 意指 mode，vivendi 意指 living（存活），其中所強調的「活路外交」揚棄與大陸繼續競標邦交國，

---

12 中央社，「胡錦濤：願協商台灣參與國際組織活動問題」，中時電子報網站，2008 年 12 月 31 日，請參考 http://news.chinatimes.com/2007Cti/2007Cti-News/2007Cti-News-Content/0,4521,130501+132008123101053,00.html。

這就是所謂的「外交休兵」。此一休兵的具體作為，首先，是將外交的重點放在經營、鞏固現有邦交關係，暫停辦理具有針對性的活動，或積極拓展新的邦交國；其次，是活絡無邦交國館處和各種國際組織的工作，減少北京的阻力；第三，是以專業性、功能性的國際組織為著力點，而非政治性的國際組織，[13]因此以加入聯合國的專業性組織為目標，而非重返或加入聯合國成為正是會員國；第四，是總統出訪強調「單純化」而不搞所謂「過境外交」，特別是經過美國時刻意低調，因此包括 2008 年 8 月馬總統前往巴拉圭與多明尼加參加總統就職大典的「敦睦專案」，還是 2009 年 5 月訪問貝里斯、瓜地馬拉與參加薩爾瓦多新任總統就職典禮的「久睦專案」，6 月參加巴拿馬新任總統就職典禮並順訪尼加拉瓜的「友誼之旅」，三次出訪均經過美國，馬總統都採取一貫之「低調、無意外」過境模式，不但不製造美國之困擾，也建立起台美之間的互信；第五，是減少機密預算支出，拒絕我邦交國漫天叫價的要求金錢援助，在馬總統三次出訪中，都順道訪問了傳言邦交不穩的友邦，或者是舉行雙邊的高層對談，包括巴拉圭、巴拿馬等，而馬總統也都嚴正告訴友邦，不會再以金援方式與大陸進行外交競賽，更不會對「個人」進行秘密援助。

然而受限於兩岸特殊的關係，大陸至今從未提及「外交休兵」，但從「胡六點」中提出「兩岸在涉外事務中不應內耗」，顯見對於外交休兵大陸並不否認。因此，當前兩岸外交休兵的影響如下：

---

[13] 張登及，「新政府活路外交在兩岸和緩等面向之成效評估及前瞻」，和平論壇網站，2009 年 9 月 15 日，請參考 http://www.peaceforum.org.tw/onweb.jsp?webno=3333333504&webitem_no=1874。

一、凸顯「中華民國」的主權地位

從 2008 年 5 月馬英九當選總統之後，兩岸關係出現了快速發展，胡錦濤的對台政策也展現了前所未有的彈性，不在主權或統一等議題上過於堅持，分別敘述如下：

（一）大陸尊重台灣民眾的分治思維

2008 年 7 月下旬大陸媒體將台灣在北京奧運會中的「中華台北」名稱改為「中國台北」，這使得台灣朝野為之譁然，認為此一行為明顯是在打壓與矮化台灣，大陸原本以此為「新聞自由」而強調無法干涉，但在兩岸的斡旋下，隨即展現善意要求媒體改善，顯示大陸重視台灣民眾的政治感受。此外，台灣受邀參加在 2010 年舉行的上海世界博覽會，但「台灣館」如何設置卻一直懸而未決，一方面台灣不願意與香港、澳門一樣，處在中國館的範圍內，這無疑表示台灣是中國大陸的一個地方政府；但大陸也不能接受台灣館獨立於中國館的範疇之外，而與其他國家並列，這將造成所謂「一中一台」的問題。最後的決定是，台灣館是位於包括中國館在內的亞洲館區內，但與中國館及港澳館相隔一條馬路以作為區隔，[14]顯示大陸尊重與體會台灣民眾對於兩岸分治的看法。事實上，根據遠見雜誌在 2009 年 7 月所公布的民調顯示，82.8%受訪者認為兩岸目前是各自發展的國家，對照前一年 6 月該雜誌所進行之民調，增加了 9.1%，顯示兩岸在分治了 60 年之後，台灣民眾在主觀意識上希望維持目前「兩岸分治現況」的心態。[15]

---

[14] 范世平，「上海世博會開創兩岸政經契機」，**國際商情**，第 269 期（2009 年 6 月），頁 12-15。

[15] 陳信升，「八成二民眾：兩岸是兩個國家」，自由時報網站，2009 年 8 月 2

（二）兩岸擱置政治爭議尋求雙贏

2008 年 7 月所展開的兩岸直航，在雙方的協調下既非「國際航線」亦非「國內航線」，而是雙方均能接受的「兩岸航線」；大陸觀光客來台既非「出國旅遊」亦非「國內旅遊」，而是雙方均能接受的「兩岸旅遊」；甚至 2008 年 12 月的大陸貓熊來台，既非國家之間根據「華盛頓公約」的「租借模式」，也非中央政府對於香港特區政府的「贈送模式」，而是採取特殊的「交換模式」，也就是大陸將一對貓熊與台灣的梅花鹿、長鬃山羊進行「交換」。上述種種，都顯示兩岸刻意避開敏感的主權爭議，求取彼此可以接受最大政治公約數的政治突破。

（三）大陸對於「中華民國」雖不承認亦不否認

2008 年 11 月大陸海協會會長陳雲林來台與江丙坤進行第二次「江陳會」後，馬總統在總統府所管理的台北賓館，以「接見外賓」的模式與陳雲林會面，總統府司儀並在陳雲林面前高誦「總統蒞臨」，而陳雲林未有異議，顯示胡錦濤對於台灣政治地位上的定位有所寬鬆，即便是無法承認中華民國總統的政治地位，也至少是「不予否認」。又例如 2008 年 11 月 13 日亞太經濟合作會議在秘魯舉行，秘魯向國際媒體發布的文件中，在介紹 21 個經濟體成員領袖及名稱時，首度出現「領袖馬英九總統」的照片與總統頭銜；至於代表馬總統參加的連戰，其資料則顯示「中華台北領袖指派前副總統連戰替代」，而非連戰原本對外自稱的「國家政策研究基金會董

日，請參考 http://tw.news.yahoo.com/article/url/d/a/090722/78/1nifn.html。

事長」名義，顯見大陸並無過去般的反對台灣正式官銜；而「中華台北 Chinese Taipei」，在名單排序中則介於新加坡與泰國之間，並未列於「中華人民共和國 China, Republica Popular」之後、「香港 Hong Kong, China」之前，這明顯是以「Taiwan」次序排列。[16]而在民進黨執政時期，我國曾希望由前副總統李元簇代表總統與會，卻遭大陸斷然拒絕。

由此可見，由於從 2008 年開始兩岸關係的迅速改善，加上在胡錦濤主導下對台政策日益靈活，使得大陸目前固然仍無法正式而直接的承認「中華民國」，但至少已經可以做到漸接的「不予否認」，這對於台灣的主權彰顯具有一定的意義。因為在民進黨執政時期，不但在文化與教育上採取「去中國化」的政策，政治上也逐漸「去中華民國化」，但是中華民國（Republic of China）至少在字面上還是「中國」，而且也是「九二共識」中「一個中國，各自表述」的「一中」基礎來源，因此「互不否認」也成為兩岸關係繼續發展的基礎。

二、大陸解決台灣國際活動空間問題

在「九二共識」的基礎上，不但使得兩岸恢復了談判，台灣更得以在 2009 年 5 月如願參加聯合國的世界衛生大會（World Health Assembly,WHA），並成為觀察員，使得台灣從 1971 年退出聯合國後，首次回到聯合國的組織並參與活動。相較於民進黨執政時期，透過各種方法，甚至發動公投而希望加入聯合國卻徒勞無功，呈現相當明顯的差異。其次，台灣在睽違 40 年後，終於能夠再度受邀

[16] 郭篤為，「APEC 文件首見我元首頭銜照片」，中時電子報網站，2008 年 12 月 13 日，請參考 http://news.chinatimes.com/2007Cti/2007Cti-News/2007Cti-News-Content/0,4521,110502+112008111500225,00.html。

參加 2010 年在上海舉辦的世界博覽會，並且正式設館；而在上一屆於日本愛知所舉行的世博會，我政府卻僅能透過民間組織與日本的餐廳合作，以「餐廳老闆」的身分，在世博會的美食街開設台灣小吃攤，故此一差異甚為明顯。

第二節　兩岸僑務休兵的發展背景

為使兩岸僑務休兵的探討更為深入，必須回顧與比較從 1949 中共建政之後兩岸僑務發展的過程。

壹、台灣僑務凌駕大陸階段：1949 年至 1978 年

誠如本書第三章所述，在 1949 年中共建政後其僑務政策的「反蔣拉攏時期」，大多數華僑仍支持「繼承法統」而退居台灣的國民黨政權，這使得中華民國政府雖然有效統治面積與人口大幅減少，但卻仍是當時許多華僑心目中的「中國唯一合法政府」。

而從 1957 年毛澤東推動整風與反右運動，一直到 1976 年的文革結束，如第三章所述大陸的僑務工作從「發展趨緩時期」走向「完全停頓時期」，而在台灣的國民政府則在這將近 20 年間，積極發展僑務。其中包括吸引僑資來台投資、大量引進僑生來台就學、每年雙十國慶接待大批華僑來台、積極主導與介入海外僑社發展等，加上台灣從 1960 年代開始派出大量留學生出國深造，在學成之後留在海外工作與成家立業，進而成為海外支持台灣的新興力量。因此，這使得當時兩岸的僑務工作發展，呈現台灣完全凌駕於大陸的態勢。另一方面，1950 到 60 年代的東南亞各國政權，為避免在獨立建國過程中被共產黨赤化，因此極力打擊其內部的共黨組織，對

於各共產國家的「革命輸出」嚴加防範，其中特別是針對大陸。因此在東南亞華人無法與大陸進行聯繫的情況下，只能選擇在台灣的中華民國，作為他們母國的認同對象。

但是不可否認，仍有若干華僑支持中共政權，由於當時台灣在外交上採取的是「漢賊不兩立」政策，使得支持兩岸不同政府的僑社涇渭分明，甚至隨著兩岸的外交戰而相互對立。

貳、兩岸僑務競爭階段：1979 年至 1995 年

1978 年中共十一屆三中全會召開，大陸進行改革開放後，招商引資成為重要政策，許多優惠措施不斷出台；加上大陸猶如一塊尚未開發的處女地，在充滿無限商機的情況下，吸引了許多華僑前往投資，使得華僑投資重心從台灣移往大陸。另一方面，隨著大陸與美國建交，其在國際間的影響力逐漸增加，相較於台灣的國際地位快速下降，使得許多華僑在政治認同上也開始出現變化。誠如第三章所述大陸僑務工作的「迅速發展時期」，開始積極恢復停滯將近 30 年的僑務，大量而有計畫的鼓勵華僑前往大陸進行參訪，使得許多華僑也開始對其看法改觀。因此，使得台灣的僑務工作蒙受極大壓力，雙方在海外僑社與僑務上的競爭日趨白熱化。

一、大陸僑民數量大量增加

從 1978 年開始，大陸逐漸放寬了海外移民的限制，從原本的鎖國政策走向鼓勵移民，如此不但能夠抒解大陸沈重的人口壓力，大陸移民將外匯源源不絕的匯回，也成為重要的外匯收入。加上許多大陸留學生學成之後留在海外工作與成家，以及福建地區民眾透過偷渡方式大量進入歐美國家，都使得大陸的新移民數量快速增

加。根據大陸知名研究華僑學者莊國土的統計，70 年代至 90 年代末期，大約有 400 萬大陸民眾以合法、非法的模式前往他國移居；[17]誠如第三章所述，根據大陸中國新聞社所發布的「2008 年世界華商發展報告」中指出，從 1978 年至 2009 年，直接從大陸移居海外的陸僑達 600 萬人。[18]

以日本來說，至 2007 年年底為止，大陸合法移民人數超過 50 萬，躍居日本最大新移民族群；在日本各大學院校就讀的大陸學生超過 8 萬人，占日本外籍學生的三分之二，許多留學生畢業後帶著高學歷與雙語優勢進入日本就業市場。[19]美國國土安全部 2009 年 8 月發布的「2008 年移民數據年報」顯示，不含台灣和香港在內，2008 年共有 40,017 名大陸移民加入美國國籍，在獲得美國新公民身分的外籍總人數中排名第四而占 3.8%，比前一年增加了 6,000 多人；此外，共有 80,271 名大陸人獲得綠卡，比前一年增加近 4,000 人。[20]

而就非法移民來說，美國國土安全部所公布的統計報告顯示，截至 2007 年 1 月為止，美國約有 1,180 萬非法移民，2000 年時僅為 850 萬；其中來自於大陸的非法移民有 29 萬，占總數的 2%而名列第五位，但增加幅度相當大，因為在 2000 年時僅有 19 萬人。[21]事實上，在國際人蛇偷渡集團的安排下，大陸民眾非法前往歐美經

[17] 莊國土，**華僑華人與中國的關係**（廣州：廣東高等教育出版社，2001 年），頁 283。

[18] 大陸新聞中心，「海外華人，將破 4800 萬」，聯合報網站，2009 年 2 月 3 日，請參考 http://udn.com/NEWS/MAINLAND/MAI2/4714553.shtml。

[19] 夏嘉玲、陳世欽，「跨國獵人頭，中國人才赴日搶灘」，聯合報網站，2007 年 12 月 5 日，請參考 http://udn.com/NEWS/WORLD/WOR4/4131521.shtml。

[20] 中央社，「約有 4 萬名中國人去年移民美國」，中時電子報網站，2009 年 8 月 21 日，請參考 http://news.chinatimes.com/2007Cti/2007Cti-News/2007Cti-News-Content/0,4521,11050505+132009082100980,00.html。

[21] 中廣新聞，「美非法移民逾千萬，29 萬華人」，雅虎新聞網，2008 年 9 月 21 日，請參考 http://tw.news.yahoo.com/article/url/d/a/080921/1/16aoz.html。

濟先進國家從未中斷，雖然近年來歐美經濟在 2007 年美國發生次貸風暴後有所惡化，但是大陸民眾花費鉅資由人蛇偷渡集團安排，冒著生命危險辛苦抵達異國者，仍然是有增無減。當前，非法移民已經成為歐盟及各成員國最頭疼的問題，雖然都制訂出嚴格的取締法律，但是執行成效卻不佳，除了少數被查獲外，大部分仍繼續留在當地謀生。尤其華人憑藉著旺盛的生命力及吃苦耐勞精神，任何惡劣的環境與低賤的工作都能夠接受，韌性之強實屬罕見，他們更將自己的慾望壓到最低，除了維持最基本生活與償還蛇頭龐大偷渡費用外，不斷積蓄金錢以接濟家鄉親友，並且累積自己在異國發展事業的資本。

除了上述的「陸僑」外，從 1980 至 1995 年，香港至少有 75 萬人次移民海外，大多數移居北美、澳洲與加拿大，「港僑」也成為華僑中新興的組成份子。至於台灣從 60 年代開始至 90 年代末期，大約有 90 萬人移往海外，大部分居住在北美地區。[22]

由此可見，陸僑若加上港僑的人數，將近 700 萬人，遠遠凌駕於台灣的海外移民。

二、僑社生態面臨改變

隨著陸僑數量的大幅增加，使得整個華僑社會從「量變」轉變為「質變」，許多長期以來支持台灣國民政府的僑社，開始出現立場上的動搖。特別是從 1987 年台灣宣布解嚴之後，不但開放台灣民眾赴大陸探親外，兩岸關係也出現和緩，過去「漢賊不兩立」的對立思維已經不復再見，這使得傳統支持台灣國民政府的僑社，也有理由與大陸進行更多的接觸。

---

[22] 莊國土，**華僑華人與中國的關係**，頁 283。

三、大陸僑民分布廣泛

大陸移民與台灣移民的最大差異，是台灣移民多是前往美國、加拿大、澳洲與紐西蘭等已開發國家，他們多數是在台灣具有相當經濟基礎的社會中、上階層人士，這些所謂「投資移民」移往海外的目的，是尋求比台灣更高品質的生活。而大陸移民則是社會階層懸殊，固然有所謂「新富階級」，但更多的是前往海外尋找生計下層階級，因此他們在海外的分布地區相當廣泛，包括歐洲、非洲與中東，其中特別以廣東江門與珠江三角洲地區的民眾最多。[23]

四、大陸僑務工作迅速發展

誠如第三章所述，1977 年鄧小平首先發表「海外關係是個好東西」的講話，對於文革時期遭到政治迫害的華僑與僑眷給予平反；[24]1978 年 1 月，「人民日報」發表「必須重視僑務工作」的文章；[25]而在鄧小平提出「要先把『廟』恢復起來」的說法下，國僑辦在 1978 年成立，隨後各級地方政府的僑辦也相繼恢復或成立。[26]基本上華僑所扮演的角色，已經從政治參與走向經濟參與，兩大主軸分別是「以僑引資」與「以僑引智」，透過華僑引進大陸最迫切需要的資金與知識技術。

---

[23] 莊國土，**華僑華人與中國的關係**，頁 284。

[24] 田雛鳳，「江澤民僑務思維及政策之研究」，銘傳大學國家發展與兩岸關係碩士在職專班碩士學位論文（2006 年），頁 28-30。

[25] 賈海濤、石滄金，**海外印度人與海外華人國際影響力比較研究**（濟南：山東人民出版社，2007 年），頁 181。

[26] 賈海濤、石滄金，**海外印度人與海外華人國際影響力比較研究**，頁 181。

參、台僑華僑對立分化階段 1996 年至 2008 年

1995 年李登輝赴美訪問後，誠如第三章所述大陸僑務工作進入所謂「反獨促統」時期，2000 年民進黨的陳水扁當選總統後，兩岸關係出現前所未有的緊張，由於在外交領域中劍拔弩張，使得兩岸在僑務工作上也更為對立。而民進黨一方面在外交工作上強調「台灣中國，一邊一國」，另一方面在文化上強調「去中國化」，因此在僑務工作上也有別於過去國民黨執政時期的作法。民進黨認為國民黨在台灣執政 50 年以來，長期支持的是華僑，卻不支持與協助台僑，甚至將其列為「海外黑名單」，不但禁止他們回台，甚至予以政治上的打壓與迫害。因此，當民進黨執政之後，所產生的影響如下：

一、原本支持台灣的華僑產生認同問題

事實上許多東南亞華僑，迄今對於中華民國及孫中山、蔣中正懷有感情，是有歷史上的因素。在十九世紀時期，部分閩粵民眾移居東南亞落腳，在當時這群華人面對的是兩種不同的生存壓力：一是在政治上的大英帝國與荷蘭王國的殖民者歧視，另一則是經濟上必須與在地人群（包括馬來人，印尼人與印度人等）相互競爭。在此情況下，支持孫中山所領導的反清革命，成為這一群受到壓抑華人的一種彼此尋求認同之集體行動，這就是「華僑為革命之母」的政治基礎。許多報章如「圖南早報」更是在當地華人支持下，公開在東南亞宣傳孫中山的革命運動並為其募款。因此當孫中山革命成功之後，東南亞華人有一種「出頭天」的欣喜若狂。事實上，東南

亞許多寺廟的匾額是以民國紀元，就可以說明當時華人對於中華民國的高度認同。[27]

然而當民進黨政府大力落實所謂本土化與台灣主體性，一方面對於「中華民國」的國號減少使用，避免提到孫中山的史蹟，對於蔣中正更是賦予負面評價，甚至將中正紀念堂改名為台灣民主紀念館；另一方面，在種族認同上則認為台灣人不是中國人，台灣民族應獨立於中華民族之外。這些種種作為，都讓許多華僑產生認同上的矛盾，因為他們心目中的母國似乎已經與過去大不相同，既熟悉卻又陌生。而在大陸僑務單位的積極拉攏與宣傳下，使得華僑的立場出現鬆動與改變，而台僑與華僑之間的矛盾也日益明顯。

甚至許多來自台灣的「新華僑」團體，因為不認同民進黨政府的作法，而與大陸的僑務組織進行合作。例如台灣的華僑救國聯合總會與大陸的中國僑聯於 2006 年 6 月於北京共同舉辦「和平與發展論壇」，這是兩岸僑聯組織的首次正式接觸，會中甚至強調「基於認同九二共識、反對台獨分裂的立場」，[28]如此也形成了台灣內部在僑務工作路線上的分歧。

二、民進黨政府支持台僑而冷落華僑

民進黨執政後，將海外僑民粗糙的分成華僑與台僑，對於華僑認為其政治立場必定支持大陸。但實際上，許多華僑雖然自稱是中國人，但在歷史情感與政治認同上還是支持在台灣的中華民國。特別是台灣與大陸相較，政治上的民主、自由與法治，不但是中國歷史上首次達成的理想，更足以讓華僑在海外能驕傲的宣示，中國人

[27] 簡旭伸，「他們為何懷念中華民國？」，中國時報，2007 年 7 月 3 日，第 A15 版。

[28] 中央社。「兩岸僑聯在北京共同舉辦和平與發展論壇」，雅虎新聞網，2006 年 6 月 6 日，請參考 http://tw.news.yahoo.com/060606/43/37puh.html。

也能夠實施西方式的民主與政黨政治。事實上，雖然大陸和美國建交長達 30 年，但美國大部分的僑社，至今仍懸掛青天白日滿地紅的國旗，掛五星紅旗的甚少，這充分說明華僑認同民主自由的中華民國。[29]例如 2010 年 1 月 2 日，在美國有華府僑社龍頭之稱的「美京中華會館」，舉行新舊任主席交接典禮。中華民國駐美代表袁健生應邀觀禮，他對中華會館長年堅定支持中華民國政府，堅持懸掛青天白日滿地紅國旗，表示敬佩與感激。[30]

然而民進黨政府的許多政策，卻是將這些華僑視為非我族類，表面上在官方發言上仍強調一視同仁與政策一貫，但在實際作為上卻讓華僑感覺親疏有別。不論在經費補助與活動參與上，對於台僑團體特別優厚而積極，對於華僑團體則因資源排擠下而受到影響。特別是民進黨的許多人士，早期被國民黨政府列為「黑名單」而流落海外，因此受到當時許多台僑團體的援助，加上民進黨與台獨運動的發展過程中，海外台僑團體的積極支持與贊助扮演了重要角色，都使得民進黨在執政後，大力拉抬台僑社團與組織，但也造成台僑與華僑社團的摩擦。

三、台僑成為民進黨的支持力量

海外台僑社團在獲得資源的挹注下，使得其在海外活動更為積極，民進黨政府也成立了許多新的僑民組織，例如 2002 年成立「全

---

[29] 亓樂義，「台灣不要你們，大陸要你們，傳僑委會將裁併，中共積極爭取台僑」，中時電子報網站，2009 年 3 月 11 日，請參考 http://news.chinatimes.com/2007Cti/2007Cti-News/2007Cti-News-Content/0,4521,5050133+112009031100855,00.html。

[30] 中央社，「美京中華會館支持中華民國，袁健生表示肯定」，聯合報網站，2010 年 1 月 3 日，請參考 http://udn.com/NEWS/NATIONAL/BREAKINGNEWS1/5343008.shtml。

僑民主和平聯盟」。而這些團體在海外，成為積極支持民進黨政府的力量，只要有政府官員出訪，必定動員台僑前往歡迎，但群眾中少見青天白日滿地紅的國旗，反而是綠色的民進黨或台獨組織旗幟較為明顯，這也突顯出台僑團體並不認同中華民國的心態。而當大陸官員來訪時，則往往與支持西藏獨立與法輪功的人士結合，共同對大陸官員進行抗議，並表達台灣獨立的心願。過去台僑團體因為在國民黨政府的打壓與資源限制下，其活動較為低調，但從 2000 年之後其活動能量與積極程度均明顯提昇，然也使得海外台僑與華僑間的對立更為顯著。

四、我國僑務工作推動不易

由於台僑與華僑社團之間的壁壘分明，使得我國海外僑務工作因力量分歧而推動不易。我國海外派駐人員既要積極照顧台僑，但基於長期情誼也要兼顧華僑。然而若干華僑社團卻開始與政府保持距離，反而與國民黨、親民黨關係緊密，使得政府駐外人員還必須透過上述政黨的海外黨部，與華僑社團保持聯繫，這使得我國僑務工作在力量分散的情況下，推動出現阻礙。

五、大陸僑務組織日益嚴密

隨著大陸綜合國力的增加，以及華僑在全球的影響力日增，誠如第三章所述，大陸不但從「國內僑務」轉變為「國外僑務」，在「反獨促統」與「多維開展」的僑務政策下，各種僑務組織快速增加，形成盤根錯節的四大體系，分別是全國政協與華僑黨派團體體系、中共中央與統戰部體系、國務院部委與僑辦體系、全國人大體系，從中央到地方大約有 18,000 的僑務工作單位，每年預算大約

3,000 多億新台幣。[31]如此龐大而錯綜複雜的僑務工作體系，以及投入相當規模的資源，不但在全球實屬罕見，也充分顯示大陸將僑務工作提昇至戰略的層次，因為其影響包括政治、外交、經濟、社會與文化等不同層面。

事實上，大陸的僑務工作許多都是學習自我國，但是隨著我國對於僑資與華僑的重視程度降低、僑務政策的路線出現轉折、台僑與華僑之間對立嚴重、政府對於僑務工作的資源挹注有限，都使得我國在僑務工作上的影響力，與大陸相較差距日益擴大。

第三節　兩岸僑務休兵的發展情況

誠如前述，當兩岸外交休兵初步展現成果的同時，兩岸僑務休兵的看法也逐漸被提出來討論。特別是兩岸僑民同文同種，只有若干意識型態與統獨立場的見解不同，因此其難度應該是低於外交休兵。甚至許多人士認為，倘若兩岸僑務休兵能夠真正落實，則外交休兵才有可能。所謂「僑務休兵」目前並無明確的概念，根據筆者的歸納其可以分成積極面與消極面兩個部分，所謂消極面是指兩岸不要視外交場合與僑務為戰場，逼迫僑胞必須「選邊站」，進而使得僑社之間相互對立，造成不必要的衝突與對抗；至於積極面則是希望尋求兩岸僑務能有合作機制與和平共存，如春節或中秋節等華人傳統節慶的共同主辦，以達到所謂「大僑社」的概念。

---

[31] 有關中共僑務工作體系與職能請參考：范世平，「從交易成本理論探討當前中國大陸僑務之工作體系與運作模式」，**遠景基金會季刊**，第 10 卷第 3 期（2009 年 7 月），頁 33-75。

壹、中國大陸對僑務休兵的看法與立場

在 2008 年 12 月胡錦濤所提出的「胡六點」中，在第三點「弘揚中華文化，加強精神紐帶」中，胡錦濤指出「中華文化源遠流長、瑰麗燦爛，是兩岸同胞共同的寶貴財富，是維繫兩岸同胞民族感情的重要紐帶。中華文化在台灣根深葉茂，台灣文化豐富了中華文化內涵。台灣同胞愛鄉愛土的台灣意識不等於『台獨』意識。兩岸同胞要共同繼承和弘揚中華文化優秀傳統，開展各種形式的文化交流」。[32]因此對於海外台僑團體來說，大陸提出了尊重「台灣文化」的訴求，讓台僑覺得不是被大陸排斥在外。

而在第四點「加強人員往來，擴大各界交流」方面，胡錦濤指出「兩岸同胞要擴大交流，兩岸各界及其代表性人士要擴大交流，加強善意溝通，增進相互了解」，「對於部分台灣同胞由於各種原因對祖國大陸缺乏了解甚至存在誤解、對發展兩岸關係持有疑慮，我們不僅願意以最大的包容和耐心加以化解和疏導」，「對於那些曾經主張過、從事過、追隨過台獨的人，我們也熱誠歡迎他們回到推動兩岸關係和平發展的正確方向上來。我們希望民進黨認清時勢，停止台獨分裂活動，不要再與全民族的共同意願背道而馳。只要民進黨改變台獨分裂立場，我們願意作出正面回應」，[33]此一看法也提供海外的台僑與其社團，與大陸進行接觸的機會與可能性，並且增進了雙方互信的基礎。

---

[32] 范世平、徐蕙萍、張五岳、魏艾、樊中原，「從胡六點發布看中共當前之對台對策」，**亞太和平研究基金會政策報告**，2009 年第 1 期（2009 年 3 月），頁 13-19。

[33] 范世平、徐蕙萍、張五岳、魏艾、樊中原，「從胡六點發布看中共當前之對台對策」，頁 21-28。

第五點在「維護國家主權，協商涉外事務」方面，胡錦濤指出，「我們一貫致力於維護台灣同胞在國外的正當權益。我們駐外使領館要加強同台灣同胞的聯繫，誠心誠意幫助他們解決實際困難」，這第五點可說是完全針對海外台僑的發言，強調透過大陸的國際政治經濟力量，對於台僑在海外的權益進行維護。

因此，2009 年 6 月 18 日大陸國台辦主任王毅在美國舊金山訪問時表示，進入二十一世紀，兩岸僑胞應以全民族的整體利益為重，在堅持「世界上只有一個中國、大陸和台灣同屬一個中國」的大框架下，「超越分歧，避免內耗，團結互助，共創未來」。他指出，兩岸僑胞應該最大限度地「求同存異」，「同」指的是：兩岸僑胞同屬中華民族，都是炎黃子孫；都是中華文化的繼承者和傳播者；包括大陸和台灣在內的中國，是兩岸同胞的共同家園；兩岸僑胞的共同目標，是堅決反對任何形式的台獨。他強調，兩岸僑胞更要爭取「聚同化異」，「基於這樣的大同，我們有責任加強兩岸僑團的團結，共同發揮溝通兩岸的橋樑作用；有責任在海外積極傳揚中華優秀文化；有責任反對違背中華民族根本利益的行徑」。[34]6 月 19 日王毅在洛杉磯，對於兩岸的僑團未來如何加強溝通的問題，他引述胡錦濤「兩岸在涉外事務中避免不必要的內耗，有利於增進中華民族的整體利益」的說法，王毅指出，這個理念和精神也適用於兩岸僑界，他希望兩岸僑界能最大限度的「求同存異」、「聚同化異」與「聚兩岸的大同」。[35]

由此可見，馬總統所提出的「外交休兵」，基本上獲得了北京的善意回應，另一方面也促使北京對於推動兩岸的「僑務休兵」不

---

[34] 劉庠，「毅籲兩岸僑界：聚同化異」，聯合報網站，2009 年 6 月 20 日，請參考 http://udn.com/NEWS/MAINLAND/MAI1/4972997.shtml。

[35] 中央社，「王毅：兩岸僑胞聚同化異共創未來」，聯合報網站，2009 年 6 月 20 日，請參考 http://udn.com/NEWS/MAINLAND/BREAKINGNEWS4/4973618.shtml。

予排斥，希望藉此整合海外僑界的力量。更重要的是，向支持民進黨的僑界人士伸出了善意的橄欖枝。

貳、台灣對僑務休兵的看法與立場

2009 年 7 月 4 日，馬總統在尼加拉瓜首都馬納瓜市（Managua）款待僑胞的午宴致詞時表示，他自從 2008 年 5 月就任總統以來採取的「活路外交」政策，台海兩岸進行了外交休兵，過去一年多來台灣與邦交國及非邦交國的關係逐漸擴大，也增強許多；馬總統更進一步指出「兩岸外交休兵，僑務也應休兵，讓僑胞們能在僑居地共同努力，維護權益及共謀福祉」。[36]

2009 年 7 月 24 日僑委會副委員長任弘表示，僑務休兵可從兩岸都慶祝的傳統節慶，如中秋節或春節開始合作，但具政治象徵與主權宣示的節日，就還需要時間來磨合。任弘說，目前可見到的僑務休兵成果是兩岸的「國慶日」，原來慶祝「雙十」國慶的僑社，現在也可以慶祝「十一」國慶，未來包括春節、中秋節等傳統中國節日，可以思考由兩邊僑社一起合辦。[37]

參、兩岸僑務休兵發展的方向

誠如前述，既然當前兩岸在僑務休兵方面已經有所共識，應該積極展開相關工作，但另一方面我國政府也必須堅持若干立場，分述如下：

---

[36] 黃礦春，「總統：兩岸外交休兵僑務也要休兵」，中央社網站，2009 年 7 月 4 日，請參考 http://tw.news.yahoo.com/article/url/d/a/090705/5/1mhjb.html。

[37] 中央社，「任弘：僑務休兵 兩岸傳統節慶可合作」，聯合報網站，2009 年 7 月 24 日，請參考 http://udn.com/NEWS/MAINLAND/BREAKINGNEWS4/5037930.shtml。

一、兩岸僑務休兵的努力方向

兩岸在僑務休兵方面，可以從「先易後難」的模式進行，在「先文化後政治」的方針下逐步來循序漸進的推動，而不要操之過急，其具體的努力方向如下：

（一）兩岸僑務單位共同服務台僑、華僑與陸僑

兩岸派駐在海外的外交與僑務部門工作人員，應該不分彼此的對於僑民提供服務，不論是台僑、華僑或是陸僑，都應該在他們需要的時候提供協助。特別是中美洲國家的台灣邦交國較多，而大陸在非洲、歐洲、中東等地區的外交與僑務派駐人員遠遠凌駕於台灣，因此雙方應該可以進行實質上的合作，以創造兩岸僑民的福祉。

（二）僑社共同舉辦活動

兩岸的所屬僑社，應該聯合舉辦活動與進行交流，許多兩岸所共同紀念的華人民俗節日，例如中秋節、端午節與春節都可以一起舉辦活動。至於兩岸所共同尊崇的先賢也可以一起紀念，例如孔子誕辰紀念日、孫中山紀念日等。而比較具有政治性的紀念節日，則可以在兩岸僑社更具有互信基礎與共識後，共同紀念與舉辦活動，例如辛亥革命紀念日、七七抗戰紀念日等。

（三）兩岸僑民共同合作爭取權益

兩岸的僑社與僑民應該緊密合作，來爭取共同之權益與利益。例如 2008 年 4 月，美國有線電視網 CNN 評論家卡佛蒂（Jack

Cafferty），以侮辱性的字眼形容中國人，說出「中國人都是笨蛋和暴民」，結果引起大陸官方和全球華人的反彈，美國洛杉磯的華人團體走上街頭抗議，除了要求道歉，當地 40 多個華人社團甚至要求 CNN 賠償 1 億 3 千萬美金。[38] 9 月馬來西亞巫統黨檳城州升旗山區部主任阿末伊斯邁發表了所謂「華人寄居論」，其指華人寄居在馬來半島，是少數族裔，也是移民，不應獲得和馬來穆斯林多數族裔同樣的待遇。此言一出，立刻引起馬國華人的反彈。[39]因此，兩岸的僑社與僑民對於這些歧視外來移民的言論與作為，應該聯合起來共同爭取應有的地位與權利。

（四）兩岸僑民共同參與當地政治

兩岸僑民應該共同合作，推舉人選參與當地的政治事務，以維護自身之利益。例如 2009 年 7 月，美國南加州誕生了美國有史以來第一位華裔女性聯邦眾議員：趙美心（Judy Chu），她在加州 32 選區國會眾議員特別選舉中，以 66.7%的得票率獲得了 15,328 票，擊敗共和黨資深對手、且是她堂嫂的趙美生（Betty Chu），而與來自俄勒岡州眾議員的吳振偉，共同成為美國國會的兩位華裔議員。[40]因此，兩岸僑民應該摒棄歧見，共同推舉優秀人選參選民意代表，以為海外華人共同爭取權益。此外，也應該共同支持華人擔任政府中的重要職位，以增加華人的政治資源，例如美國總統歐巴

---

[38] 「CNN 辱華延燒，LA 華人上街抗議」，雅虎新聞網，2008 年 4 月 20 日，請參考 http://tw.news.yahoo.com/article/url/d/a/080420/8/xn0q.html。

[39] 中央社，「華人寄居論引發馬國執政聯盟華人成員黨不滿」，中時電子報網站，2008 年 9 月 8 日，請參考 http://news.chinatimes.com/2007Cti/2007Cti-News/2007Cti-News-Content/0,4521,130504+132008090800782,00.html。

[40] 吳忠國，「國會眾議員首見華裔女」，聯合報網站，2009 年 7 月 16 日，請參考 http://udn.com/NEWS/INTERNATIONAL/WOR6/5021722.shtml。

馬在 2008 年就職之後，提名盧沛寧（Chris Lu）出任白宮內閣秘書（Cabinet Secretary），負責在總統與內閣部長之間擔任折衝協調的工作，[41]也因此成為歐巴馬最為貼身的重要幕僚；2009 年歐巴馬分別提名駱家輝與朱棣文擔任商務部長及能源部長，這使得歐巴馬內閣成為美國歷史上最多華裔成員的政府。這一方面提昇了華人在美國的政治地位與影響力，另一方面也有助於美國與大陸、台灣之間關係的精進。

（五）兩岸共同推廣中文教育

隨著大陸在國際間政治與經濟影響力的大幅提昇，中文已經成為當前全球最受重視的語言之一，全球更掀起一股學習中文的熱潮。大陸近年來積極在海外進行「孔子學院」的籌建，希望藉此推動中文教育。但由於大陸所教授的是簡體字，而台灣在海外所推動的是繁體字（或稱為正體字），不可否認的是繁體字的歷史較為淵遠流長，且較簡體字形體美觀，因此近年來大陸教育界要求增加繁體字教學的呼聲不絕於耳。所以，兩岸可以在海外對於僑民與外國人士的中文教學進行深入合作，包括教材、教學與教師等方面。台灣在 2010 年春天，於美國洛杉磯、休士頓的華僑文教中心正式開辦「台灣書院」，透過繁體字來爭取全球華文市場的主導權，並提出 50 億元新台幣的文化外交基金來設立「台灣獎」，希望成為「華人的諾貝爾文學獎」。[42]所以，台灣書院若能與孔子學院進行合作，相信將更有利於海外僑民的中文教育與文化傳承。

---

[41] 「盧沛寧：奧巴馬背后的華裔軍師」，人民網，2008 年 11 月 25 日，請參考 http://world.people.com.cn/BIG5/8404583.html。

[42] 江慧真，「馬『台灣書院』明春在美開張」，中時電子報網站，2009 年 6 月 30 日，請參考 http://news.chinatimes.com/2007Cti/2007Cti-News/2007Cti-

（六）華商台商共同合作

1990 年政治傾向大陸的新加坡中華總商會、香港中華總商會和泰國中華總商會聯合倡議，每兩年舉行一次「世界華商大會」，以促進各地華商間的交流與合作，大陸則希望藉此充分整合與利用全球華商的力量。當前，「世界華商大會」的發展日益受到國際矚目，如表 5-1 所示，在舉辦的 20 年來，除了第九屆在日本舉辦時，因當時首相尚未選出，而由幾乎篤定當選首相的福田康夫眾議員透過視訊致辭外，其他各屆均由主辦國元首親自與會致詞，而該國之重要企業更是全力以經費支持。而在 2007 年的第九屆大會中，大陸更派出了統戰工作最高單位的領導人全國政協主席賈慶林代表參加，顯示此一會議在僑務與海外統戰工作中的重要性。事實上在 2008 年，由於美國次貸風暴使得國際經濟出現低迷，世界華商企業的資產也比 2007 年減少了將近三分之一，但仍然高達 2.5 萬億美元，[43]成為國際間不敢輕忽的經濟力量。

表 5-1　世界華商大會舉辦過程整理表

屆	日期	主辦機構（主辦地點）	與會者	主持貴賓	宗旨
第一屆	1991 年 8 月	新加坡中華總商會（新加坡）	30 個國家，750 多名華商	李光耀總理	聯繫世界各地華商，加強商業發展

News-Content/0,4521,50201007+112009062000167,00.html。

[43] 中新社，「2008 年世界華商發展報告出台」，中國新聞網，2009 年 2 月 2 日，請參考 http://www.cns.hk:89/hr/news/2009/02-02/1545314.shtml。

第二屆	1993年11月	香港中華總商會（香港）	22個國家，850多名華商	彭定康（Christopher F. Patten）總督	華商遍國海，五洲創繁榮
第三屆	1995年12月	泰國中華總商會（泰國曼谷）	24個國家，1,500多名華商	班漢（Banharn Silpa-Archa）總理	加強世界華商聯繫，共謀經濟發展繁榮
第四屆	1997年8月	加拿大中華總商會（加拿大溫哥華）	30個國家，1,400多名華商	克雷蒂安（Jean Chretien）總理	電子通訊與資訊科技對環球市場的影響
第五屆	1999年10月	澳洲維多利亞中華總商會（澳洲墨爾本）	20個國家，800多名華商	霍華德總理	新千年的挑戰
第六屆	2001年9月	中華全國工商業聯合會（中國大陸南京）	77個國家，4,700多名華商	朱鎔基總理	華商攜手新世紀，和平發展共繁榮
第七屆	2003年7月	馬來西亞中華總商會（馬來西亞吉隆坡）	21個國家，3,500多名華商	馬哈迪（Mahathir Mohamad）總理	環宇華商一心一德，全球企業共存共榮
第八屆	2005年10月	韓國中華總商會（韓國首爾）	32個國家，3,569多名華商	盧武鉉總統	與華商共成長，與世界共繁榮
第九屆	2007年9月	日本中華總商會（日本神戶、大阪）	30個國家，3,000多名華商	國土交通大臣冬柴鐵三，政協主席賈慶林	和諧、創新、機遇：以誠信和智慧與世界共生同榮
第十屆	2009年11月	菲華商聯總會（菲律賓馬尼拉）	20多個國家，約3,000名華商	雅羅育（Gloria M. Arroyo）總統，政協主席賈慶林	加強華商聯繫，促進世界繁榮

第十一屆	2011 年 11 月	新加坡中華總商會（新加坡）	未定	未定	未定

資料來源：全國工商聯，「第八屆世界華商大會」，全國工商聯網站，2007 年 8 月 30 日，請參考 http://www.acfic.org.cn/cenweb/portal/user/anon/page/AcficLiaison_CMSItemInfoPage.page?metainfoId=ABC00000000000005505。范世平，「僑務政策」，**中國改革開放三十年**（香港：香港城市大學出版社，2009 年），頁 167-183。「第十屆世界華商大會」，世界華商大會網站，2009 年 9 月 18 日，請參考 http://www.10wcec.com/。廖雷譚衛兵，「全國政協主席賈慶林出席第十屆世界華商大會開幕式」，國際日報網站，2010 年 1 月 5 日，請參考 http://www.chinesetoday.com/news/show/id/320953。

當前，華僑對於大陸來說，一方面是資金的重要來源，根據世界銀行（World Bank）2008 年 3 月所發布的「2008 移民和匯款概況」指出，2007 年世界僑匯總額約 3,180 億美元，其中印度的僑匯收入達 270 億美元為世界第一，大陸和墨西哥則分別以 257 億美元和 250 億美元名列第二和第三名。[44]另一方面，僑商扮演著中資與國企的「領頭羊」角色，協助中資與國企能夠走向國際。因此，不論是在台灣的企業家還是海外台商，如何與海外華商相互整合與聯繫，在當前大陸經濟發展快速的時候掌握機遇，甚至主動參加世界華商大會，來尋求雙方合作的機會。

---

[44] 查淑妝，「世銀：印度、中國、墨西哥去年僑匯收入列世界前 3 名」，鉅亨網網站，2008 年 3 月 20 日，請參考 http://tw.stock.yahoo.com/news_content/url/d/a/080320/2/vb4j.html。

二、我國僑務工作的未來發展方向

面對兩岸僑務休兵的浪潮，我國的僑務工作也進入新的發展階段，固然應該與時俱進的有所調整，但也有許多部分必須堅持過去的傳統與立場。

（一）維持僑務委員會不可廢除

僑務休兵的前提，是我國必須在僑務工作上具有相當的實力，否則大陸毋須與台灣進行休兵。因此，僑委會不但不應該廢除，反而應該增加其經費與員額。從民進黨執政時期我國就開始進行政府組織的再造工程，希望將行政院改造為 13 部、8 會及 3 個獨立機關，其中規劃將僑委會整併入外交部成為所謂「外交僑務部」，但此一提案在 2009 年 3 月時卻未能定案，主要原因在於僑界的強烈反映。[45]其中尤其以美國僑界的反映最為激烈，認為台灣不重視僑胞，當時「全美洲中華會館聯誼會」的祕書長黃金泉，除上書馬英九總統和國民黨主席吳伯雄表示抗議外，並聲言若裁併僑委員成真，將發動全球各僑社拒絕與台灣往來，同時拒絕接待從台灣赴美的官員。而當時大陸國僑辦主任李海峰在訪問洛杉磯時，在得悉台灣可能裁併僑委會的消息後向僑胞表示：「台灣不要你們，大陸要你們」，這讓支持台灣的在場僑胞頗為感傷。[46]

---

[45] 江慧真，「僑界大反彈，全案等馬拍板」，中時電子報網站，2009 年 3 月 11 日，請參考 http://news.chinatimes.com/2007Cti/2007Cti-News/2007Cti-News-Content/0,4521,5050133+112009031100856,00.html。

[46] 亓樂義，「台灣不要你們，大陸要你們，傳僑委會將裁併，中共積極爭取台僑」，中時電子報網站，2009 年 3 月 11 日，請參考 http://news.chinatimes.com/2007Cti/2007Cti-News/2007Cti-News-Content/0,4521,5050133+1120090

另一方面，許多與我國無邦交的國家，如英國、法國、德國、日本等，為顧及大陸立場雖然不歡迎台灣的外交部長、次長前往訪問，但卻不反對僑委會委員長、副委員長前往，因此若僑委會併入外交部，則其正副首長的出訪若遭到拒絕，則對於我國的外交與僑務工作來說都是損害。[47]

（二）大陸仍不脫其統戰思維

2009 年 6 月 22 日大陸國台辦主任王毅在美國華盛頓表示，兩岸僑界一方面可以借鑑兩岸交往成功的經驗與作法，例如求同存異，甚至擱置爭議，但另一方面，「因為是在海外，也需要遵循國際社會已經形成的『一個中國』的格局和共識」，王毅希望兩岸僑界僑胞能夠在堅持「世界上只有一個中國，大陸和台灣同屬一個中國」的框架下，「跨越和超越分歧，並減少內耗，團結互助，共創雙贏」。[48]由此可見，大陸雖然不反對僑務休兵，但其背後仍有濃厚的統戰意味與政治思維，就是必須在「一個中國」的基礎上，而且是強調「內外有別」的原則，因此我國在推動僑務休兵時必須特別注意，而不可過於一廂情願。

31100855,00.html。

[47] 亓樂義，「台灣不要你們，大陸要你們，傳僑委會將裁併，中共積極爭取台僑」，中時電子報網站，2009 年 3 月 11 日，請參考 http://news.chinatimes.com/2007Cti/2007Cti-News/2007Cti-News-Content/0,4521,5050133+112009031100855,00.html。

[48] 張宗智，「王毅看兩岸關係：從不正常狀態，恢復正常交往」，聯合報網站，2009 年 6 月 23 日 請參考 http://udn.com/NEWS/MAINLAND/MAI1/4978490.shtml。

（三）堅持中華民國法統與民主普世價值

「中華民國」是由孫中山先生所創立，連大陸也尊稱其為「革命的先行者」而予以紀念，對於廣大華僑來說更具有特殊的感情與意義，也是他們迄今仍然支持台灣的原動力。民進黨執政時期刻意去除中華民國，認為此一名稱是台灣拓展國際空間的阻礙，但結果是八年來不但未能使台灣的外交空間增加，反而造成海外僑民的分裂，力量也無法整合。因此，堅持中華民國的法統與名稱，是僑務工作至關重要的基本原則。

其次，台灣應該繼續堅持民主的普世價值，並且有計畫的向海外華僑進行宣傳。台灣從 1987 年宣布解除戒嚴之後，相繼宣布開放了黨禁與報禁，可以自由組黨與增加言論自由，如此也開啟了台灣政治民主化的序幕。20 多年來，台灣在民主化的過程中曾經問題叢生，包括立法院的暴力相向、黑金政治、派系分贓、負面文宣、賄選買票、族群分化、民粹主義、經濟下滑等，這也成為大陸當局嘲諷揶揄的對象，以及大陸民眾與華僑認同支持有所保留的原因。但隨著台灣民主化的逐漸前進，政黨的起起落落成為常態，台灣的民主政治也逐漸從激情走向理性，民主素養與風度大幅提昇，包括負面競選手法、激進政治訴求、賄選買票、族群分化開始遭到選民唾棄，中間選民的比例與重要性不斷增加；儘管選前如何激烈，選後即迅速恢復平靜。因此，台灣民主政治已經逐漸走出陣痛期而邁向成熟，而政治改革、尊重民意、官員清廉、政策透明、尊重人權、公平正義，不但是全民要求與政黨訴求，而且成為逐漸實現的目標。特別是台灣成功完成了「兩次政黨輪替」，使政黨輪流執政成為常態，這使得台灣幾乎已經成為全球華人社會的民主政治典範。例如戴門（Larry Diamond）等學者就認為，由於台灣在社會結構、政治歷史與地緣政治上的特殊性，使得台灣此一個案對於大陸未來的民主化發展來說，是一個非常好的指引；而包括吉力（Bruce Gilley）等學者也認為雖然大陸未來民主化的時程仍不確定，但由於大陸必須面對強大的社會壓力，因此比較適合台灣這種較為和平且由上而下式的民主化。[49]

美國著名的非政府組織「自由之家」（freedom house）針對全球 193 個國家的「政治權利」及「公民自由」程度，每年均會進行評比分析，他們將評比等級分成 1 至 7，1 代表自由度最高，7 代表最低，而共分為「自由」、「部分自由」與「不自由」三個層級。2009 年 1 月 13 日所發布的「2009 年世界自由度」（*freedom in the world 2009*）調查報告中，大陸被列為「不自由」的國家，其「政治權利」被評為最低的 7，「公民自由」被評為次低的 6，而與北韓、緬甸、寮國並列為亞洲地區評比最低的國家；台灣的「政治權利」則被評為 2，「公民自由」被評為 1，與日本與南韓同列為「自由」的層級。[50]所以，誠如第三章所述奈伊對於軟實力的詮釋，「是一國在文化與意識型態上的吸引力，並使得其他國家願意跟隨，這使得當該國行使權力時更具有正當性，因此其他國家的反對相對較少」，[51]基本上，台灣在硬實力上或許無法與大陸相抗衡，但在軟實力方面特別是「政治力」，卻可以超越與影響大陸。

因此，當海外華僑能夠瞭解與接觸台灣的民主，就能發現其中的可貴，進而產生認同與珍惜，讓台灣這個華人社會唯一成功發展

[49] Bruce Gilley, “Taiwan’s Democratic Transition:A Model for Taiwan?”, in Bruce Gilley and Larry Diamond eds., *Political Change in China: Comparisons With Taiwan* (Colorato:Lynne Rienner Publishers,Inc., 2008), pp.215-241.

[50] Freedom House, “Freedom in the World ”, Freedom House 網站，2009 年 8 月 23 日，請參考 http://www.freedomhouse.org/template.cfm?page=363&year=2009。

[51] Joseph S. Nye, *Bound to Lead: The Changing Nature of American Power* (New York:Basic Books, 1990), pp167-168.

民主政治的地方繼續存在，成為未來大陸民主化的督促與借鏡。所以，若大陸貿然對台採取非和平手段，這些華僑甚至是近年來剛剛移民的陸僑，相信也會提出較為理性與和緩的意見，而不是讓大陸官方傳媒一手遮天，這不但有助於兩岸關係的和平與穩定，更能避免因彼此誤解而產生的情勢誤判。

對於大陸來說，過去台灣的民主化是與「本土化」甚至是「台獨化」劃上等號，台灣民主與政黨輪替的目的之一，是要與大陸產生更明確切割，這在民進黨於 2000 年執政後使此一看法達到了最高潮。但當支持「九二共識」的國民黨再度藉由此一民主機制重新執政後，民主化與台獨化得以脫鉤，這使得台灣的民主化對於陸僑、港僑來說，更具說服力與正當性。

第六章　結論

本章將針對本研究之貢獻與發現進行總結式的探討，並且評估未來的可能發展，以及對於後續之相關研究提出建議。

第一節　研究貢獻與發現

本研究對於學術探究與實務政策分析上的貢獻，以及相關的發現如下所述：

壹、研究貢獻：建構中國大陸僑務政策的學術研究基礎

誠如第一章所述，長期以來有關華僑之研究多偏向歷史學、人類學、民族學與社會學等領域，著重於華僑社會、僑鄉文化、地理區位、華僑人口、民族認同等議題，對於有關政治學領域之僑務政策探討甚為有限，而有關大陸之僑務政策更是明顯不足。[1]對於台灣來說，除了早期從「統戰理論」進行探究外，其餘多為政府部門報告，故欠缺學術性之研究；大陸學者則礙於政治因素，對於自身僑務政策多為政策辯護或政令宣導，而不願探討負面議題；至於國

---

[1] 郭梁，「建設中國的華僑華人學：有關學科問題的幾點看法」，李安山主編，**中國華僑華人學：學科定位與研究展望**（北京：北京大學出版社，2006 年），頁 1-12。

外學者，由於文化與語言上的隔閡，較難深入探究其政策背後之意涵，相關研究數量亦較為有限。因此本書也希望對此議題之學術研究有所貢獻，分述如下：

一、探討中國大陸僑務政策變遷的意義

中共自建政以後，對於僑務工作與相關政策，在不同時期採取了不同作為，本研究將其區分為七個階段：建政之初的「反蔣拉攏時期」(1949 至 1956 年)、「三面紅旗」時的「發展趨緩時期」(1957 至 1965 年)、「文化大革命」時的「完全停頓時期」(1966 至 1976 年)、改革開放政策下的「迅速發展時期」(1977 至 1988 年)、「六四事件」後的「低潮突破時期」(1989 至 1994 年)、針對李登輝與陳水扁的「反獨促統時期」(1995 至 2005 年)與「反分裂國家法」通過後的「多維開展時期」(2006 年之後)，這其中不同階段僑務政策的實際內容與具體作法，均有相當的差異性。

二、瞭解當前中國大陸僑務工作體系的運作模式

近年來，大陸一方面在僑務工作方面展現積極作為，另一方面也推出與過去不同的僑務政策。此外，為因應相關政策的推動，各種僑務組織快速增加，並且形成盤根錯節與相互牽引之網絡，這在全球來說可謂是獨一無二。本研究認為，大陸僑務工作體系可以概略區分為僑務政策最高決策體系、華僑參政議政體系、僑務政策規劃與執行體系、跨部委辦之僑務工作執行體系、其他部委辦之僑務協調配合體系、僑務工作之黨派群眾體系等六大部分。這些體系不僅是靜態的存在，在其運作中也出現了競合關係與矛盾衝突。

三、分析中國大陸僑務政策發展對於我國之影響

從90年代開始，國僑辦正式提出「把工作重心轉移到國外僑務工作上來」的措施，也就是強調僑務工作必須從「引進來」轉為「走出去」，以增加海外僑務活動頻率與深耕海外僑區，這對於我國當前之僑務工作形成直接威脅。特別是在過去民進黨執政時期，大陸的僑務工作針對台灣的意圖十分明顯，將「反獨促統」與海外僑務緊密結合，然而當國民黨的馬英九當選總統後，兩岸關係出現和緩，海外僑情也產生微妙變化，使得大陸的僑務工作因而發生改變。

貳、研究發現

有關本書的研究發現，將分別從中國大陸僑務政策的發展與變遷、僑務工作體系的意義與兩岸僑務休兵條件等三個面向進行探討。

一、中國大陸僑務政策的發展與變遷

中共自建政以後，對於僑務工作與相關政策，在不同時期採取了不同作為，誠如表6-1的整理所示：

表6-1　中國大陸僑務政策發展過程整理表

階段	發展背景	發展背景	僑務政策主軸與華僑政治參與	華僑的經濟參與	僑務實際工作
國內僑	反蔣拉攏時期（1949至1956年）	國民黨政權雖遷移台灣，仍擁有	1. 動員華僑效忠新中國政府。	為吸引僑匯，1950年頒佈「僑匯業管理	1. 1948年馬來亞頒佈「緊急法

務階段		多數邦交國；但中共僅獲得蘇聯等共產國家承認	2. 強調華僑參政議政。 3. 1952 年設置「華僑事務委員會」。	暫行條例」	令」，以共產嫌疑將華僑逮捕、驅逐，大批難僑回到大陸。 2. 1954 年大陸宣布放棄雙重國籍。
	發展趨緩時期（1957 至 1965 年）	1957 年毛澤東推動整風與反右運動，1958 年推動大躍進及人民公社運動	1959 年第二屆全國人大，雖規定「華僑人民代表仍由國外華僑中選舉產生」，但實際上已改為由歸國華僑中選舉產生	1960 年之後華僑投資趨於停頓	1959 年對於華僑採取「三好」政策，撤回不願歸化於當地的華僑，總計 1959 至 1961 年約有 11-12 萬人
	完全停頓時期（1966 至 1976 年）	1966 年中共八屆十一中全會通過了「中共中央關於無產階級文化大革命的決定」	華僑被看作「資產階級」與「資本主義」的反動力量，因此「僑」成為所謂的「黑七類」	1970 年「華僑投資公司」遭裁撤	1969 年華僑事務委員會撤銷，僑務工作歸外交部；而地方僑務部門也遭裁撤，廈門、華僑與暨南等大學相繼停辦
	迅速發展時期（1977 至 1988 年）	1978 年鄧小平提出了「四個現代化」主張，十二月中共	1. 1978 年 1 月，「人民日報」發表「必須重視僑務工作」的文章。	1. 深圳、珠海、汕頭與廈門等「經濟特區」吸引華僑投	1. 1977 年鄧小平指出「海外關係是個好東西」，強

		十一屆三中全會召開，改革開放正式展開	2. 1983 年六屆全國人大成立「華僑委員會」。[2] 3. 全面平反涉僑之冤錯假案。	資。 2. 為「以僑引資」，1979 年發布「中外合資經營企業法」。[3]	調「要先把『廟』恢復起來」，故 1978 年國僑辦成立，由廖承志擔任主任，隨後地方僑辦也相繼成立。 2. 大規模清理退賠文革時遭查抄的涉僑私人存款與財產。
國外僑務階段	低潮突破時期（1989 至 1994 年）	1989 年 6 月爆發天安門事件，11 月十三屆五中全會，江澤民被選為中共中央軍委會主席	採取「大僑務」概念，除服務境內歸僑僑眷外，將觸角伸向海外，強調「掌握僑情、理解僑心、維護僑益、發揮僑力」	1990 年國務院發布「關於鼓勵華僑和香港澳門同胞投資的規定」	1. 1990 年全國人大制訂「中華人民共和國歸僑僑眷權益保護法」。 2. 1991 年在新加坡召開「第一屆世界華商大會」。

2　第六屆全國人民代表大會第一次會議通過了全國人民代表大會設立民族委員會、法律委員會、財政經濟委員會、教育科學文化衛生委員會、外事委員會、華僑委員會等六個專門委員會的組成人員。

3　該法由全國人大發布，1990 年 4 月 4 日第一次修正，2001 年 3 月 15 日第二次修正。

	反獨促統時期（1995至2005年）	1995年李登輝赴美訪問	僑務工作與「防獨促統」相結合，尤其2000年台灣政黨輪替，轉為「反獨促統」，強調「島外作島內工作、僑胞作台胞工作」	要求僑資轉向投入高新科技產業與第三產業	2004年9月中國和平統一促進會第七屆理事大會表決通過了「中國和平統一促進會章程」
	多維開展時期（2006年之後）	2005年召開十屆人大三次會議，除選出胡錦濤為國家軍委會主席，亦通過「反分裂國家法」	1.貫徹政治、外交、經貿、文教與反獨為一體的僑務策略。 2.透過「和平發展」戰略發展僑務工作。	中資與國企積極透過華僑向外布局	1. 透過華僑以建立與他國的政經關係，進而影響其對中政策。 2. 藉由「國家漢語戰略」與「孔子學院」，向外進行文化輸出。

資料來源：筆者自行整理

從中共建政以來的僑務政策發展來看，可以得到以下的總結：

（一）僑務政策受國內外政情所影響

大陸不同時期的僑務政策，與其當時的國內政治情勢緊密相關，其中特別是領導人的政治態度；另一方面，僑務工作又與外交及國際關係密切相連，因此使得僑務政策受到國內政治與國際關係的相互牽引。

（二）僑務政策與對台工作緊密連結

當前大陸對台工作與僑務工作之間的關聯，在「反獨促統階段」後，形成一種「策略聯盟」的相輔相成關係。這在胡錦濤時期最為明顯，由於江澤民時期大陸對台灣的施壓，往往是疾言厲色與惡言相向，除造成台灣民眾的反感外更引發選舉效應。而胡錦濤時期的對台施壓，一方面是透過「聯美制台」、「聯日制台」策略，即透過美國與日本政府來對台灣官方產生壓力；並且要求亞、非、拉等第三世界國家，公開表達不支持台獨的立場。另一方面，則透過海外華僑的「中立角色」，來展現全球華僑反獨促統的「廣大民意」。

（三）僑務政策與外交工作相互重疊

當「國外僑務」與「多維開展僑務」已經成為未來的發展方向後，僑務與外交工作的重疊性也日益明顯。一方面，不論是透過華僑建立與其他國家的政經關係，還是透過與華裔政治人物的聯繫以影響該國對中政策，都是外交部的工作，但目前僑務單位也不斷積極開拓。另一方面，僑務原本就是外交部的工作之一，駐外使領館人員亦必須負責執行，但如此也使得外交部與國僑辦產生了「相互競合」的關係。

（四）多維開展僑務政策下採多角化作為

當前，大陸的僑務政策擺脫過去單一之發展方向，而朝多角化運作，其具體作為如下：

1. 結合大國外交政策

在大陸大國外交的發展政策下，為了充分展現大國走向國際的實力，一方面開始從「國內僑務」轉變為「國外僑務」，使得僑務工作開始轉向海外；另一方面透過大陸的綜合國力，提高華僑在僑居國的地位，積極保障與增進華僑的權益，使華僑在海外成為名符其實的「大國僑民」，而能受到尊敬與避免被歧視。

2. 海外移民更為開放

大陸以更大的自信與開放態度，允許民眾移民海外，以使大陸的影響力更為全球化，並透過各種僑社與團體來組織華僑力量。

3. 透過華僑對於僑居國進行政治影響

由於許多華僑具有豐厚的經濟實力，使得在僑居國政治上的影響力日益增加，例如以金錢贊助政治人物或政黨，或者直接參與政治事務。這使得大陸除了希望透過華僑來建立與僑居國政治人物間的關係外，也直接與華裔政治人物緊密聯繫，如此不但有助於增進雙方的政經關係與獲得相關情資，更可能影響該國之中國政策。尤其近年來大陸新移民的快速增加，當他們獲得僑居國的公民權後，便成為不可忽視的「票源」，甚至成為左右選舉結果的關鍵力量。

4. 大陸的僑商與僑資政策有所改變

改革開放以來在「招商引資」的政策下，華僑資金一直是外資的重要來源，到了 90 年代出現了若干變化。首先，是大陸對於華僑投資，強調必須是高新科技產業，而非高耗能、高污染、低附加價值的傳統產業，以促進大陸的產業升級與轉型。其次，隨著大陸企業亟欲走向海外，使得華僑與僑商開始扮演「領頭羊」的角色。因此，配合大陸希望在國際經濟上扮演更積極角色的政策，一方面透過「世界華商大會」整合全球華僑，另一方面藉由華僑協助中資布局海外，尤其當大陸將資金投入第三世界國家後，不但能協助這些國家的經濟發展，而且能展現大國的經濟實力與負責態度。

5. 藉由華僑推動華文教育與中華文化

大陸透過「國家漢語戰略」與「孔子學院」，一方面由華僑向外進行文化輸出，以協助海外華文教育；另一方面藉由華僑向外宣傳中華文化，以降低國際間普遍存在的「中國威脅論」與「反中」論述。

二、中國大陸僑務工作體系的意義

有關大陸僑務工作體系的發展，本研究所得到之發現如以下七點所述：

（一）交易成本理論可充分解釋僑務工作體系運作

交易成本認為政府建立之目的，就如同廠商一般是為了減少交易成本，尤其是對於訊息搜集上，藉由其特殊的地位可以迅速的收集、分析與整理各種資訊，並提供給社會共享以成為決策時的重要依據，進而降低整體的訊息成本。由於訊息成本是交易成本中的主軸，而政府所提供的各種服務又以訊息服務最為重要，因此政府具有降低交易成本的功能絕非是無的放矢。此外，政府藉由與人民間的契約關係，對於排他性產權的保障，以及與法律的密切關係，不但可以達到降低交易成本之目的，更證明其具有非排他性之公共財性質；而最重要的是政府這種保護公眾權益與調解糾紛的功能，正是其合法性的根本來源。然而對於政府的壟斷與干涉，交易成本理論則是採取排斥與反對的態度，而我們也必須瞭解，倘若政府人員逐漸成為一種既得利益的團體時，為了自身利益必將花費大量資源以與其他機構周旋，結果反而擴大了整個社會的交易成本。[4]最後，當我們認為政府對於降低交易成本具有正面意義時，也必須正視政府這個科層體制所可能帶來的監督成本。從本研究第四章的論述中可以發現，交易成本理論可以充分解釋中國大陸僑務工作相關政府組織的運作，特別是訊息成本的降低最為明顯，但另一方面其協商與監督成本卻相當高。

（二）龐大僑務工作體系的產生原因複雜

大陸政府機構中不但有專責僑民業務的單位，時至今日更形成一個龐大而複雜的僑務組織體系，這在當前全世界各國來說都是極為罕見的，其原因甚為複雜，本研究總結如下：

1. 受到過去以來中共的特殊意識型態，特別是所謂「統一戰線」的思維所影響，而華僑正是被統戰之對象。
2. 華僑在中國近代革命運動中的特殊貢獻，尤其是對於中共政權建立與冷戰時反西方國家圍堵的協助，因此華僑受到高度重視。
3. 大陸海外移民過去以來，就在當地成立了具組織性的各種「僑社」，能有系統的聯繫華僑而可為中共所用。

---

4 樊綱，經濟文論（北京：三聯書店，1995 年），頁 134。

4. 海外華僑長期以來即使歸化他國，對於大陸仍具有濃厚之認同與情感。
5. 在國共對峙時期，必須打擊與拉攏在海外支持國民黨政府的華僑；改革開放之後，亟需海外華僑的資金挹注。
6. 希望透過華僑協助大陸對外關係的拓展。

（三）僑務組織間出現競合關係

在僑務組織擴大的情況下，使得各單位間出現競合關係。一方面，彼此在工作上必須相互支援與合作，特別是在表面上往往展現團結一致；但另一方面，在各單位為求績效表現與增加行政資源的情況下，又呈現相互競爭的關係，甚至產生了彼此之間的矛盾、牽制與衝突，如此使得單位間的協商成本相當巨大。

（四）國僑辦仍難成為僑務工作之主體性角色

當前國僑辦雖亟欲從「工具性」部門，發展成「主體性」部門，亦即從過去僅支援其他單位之角色，特別是外交部與統戰部，而逐漸走向獨立性與自主性的角色。但目前看來，其轉型似乎尚未成熟，基本上國僑辦仍牢牢崁嵌在統戰與外交工作的環節上，一方面在「以黨領政」的運作模式下必須受制於統戰部，加上與統戰部有關的中華海聯、全國工商聯、歐美同學會與統促會等「僑務黨派群眾團體」相當活躍，使得國僑辦發展空間遭到壓縮；另一方面則受到所謂「天下第一部」：外交部的權力瓜分。但不可否認的是在胡錦濤時期所推動的「多維開展僑務政策」中，僑務工作已經逐漸從過去的戰術角色提升至戰略角色，除了國僑辦並未如外界預期般在2002 年的中共十六大遭致裁撤外，在 2008 年的十一屆全國人大所通過的「國務院機構改革方案」中更是獲得保留。另一方面，中共中央對外工作領導小組作為「僑務政策最高決策體系」，這個平台不但擬定了僑務政策的整體方向，其協調功能更有利於降低國僑辦、統戰部與外交部間的協商成本。

（五）華僑參政議政體系成效有限

當前的「華僑參政議政體系」，不論全國人大或是全國政協，具體成效均甚為不彰，因為其所反映的民意僅限於國內歸僑與僑眷，至於海外華僑民意則無法充分表達，關鍵在於大陸仍堅持其「國籍法」之窠臼而否定雙重國籍。事實上，近年來隨著大陸綜合國力的提升，不斷有歐美地區華僑呼籲大陸採取承認「雙重國籍」，其實許多歐美國家都承認雙重國籍，台灣亦然；但大陸鑑於華僑中80%集中在東南亞，為防止當地排華事件再生，因此不予考慮，但卻也使得華僑的定義始終不明。反倒是所謂「僑務工作之黨派群眾體系」的發展甚為蓬勃，由於其具有NGO與「非營利性組織」的民間身分，加上彈性作為，使得成效具體而充滿創意。

（六）僑務工作包含更多政府部門與單位

當大陸已從「國內僑務」走向「國外僑務」，當胡錦濤時期「多維開展」僑務政策的輪廓日益清晰，這些都充分展現在當前大陸之僑務工作體系中。首先，就是僑務工作與外交、經貿、國家安全、情報搜集、文化輸出、反獨促統等工作緊密結合，過去單一僑務政策的模式，已經走向多角度、多面向之發展，由此可見當前之僑務工作，與不同部門單位均產生更為緊密的聯繫，成為外事工作大戰略下，相當重要的環節。這在本研究所述「其他部委辦之僑務協調配合體系」中，各單位紛紛投入僑務工作就可看出；而「跨部委之僑務工作執行體系」中的的漢語小組（國家漢辦）與華文基金會，其組織中亦包含僑務相關之各單位，顯示當前之僑務工作希望能夠整合與協調不同行政體系之資源。

（七）僑務工作體系未來勢必面對精簡之挑戰

1989 年六四事件發生後，許多民運人士被迫流亡海外，成為 90 年代反對大陸的主要力量；之後大陸又將法輪功列為邪教而大肆打壓，使得海外信徒又成為組織性的反中團體，包括大紀元、新唐人等海外華文傳媒紛紛出現；此外，海外支持西藏獨立、台灣獨立、反對大陸迫害人權及散播「中國威脅論」等華僑組織與活動從未間斷；上述種種，均使得華僑成為對抗海外反中勢力的最前線。另一方面，大陸也積極藉由華僑來拓展對外的政治與經濟關係，特別是國企透過華商布局海外，以及藉由華僑推廣華語來進行文化輸出。如此，都使得大陸不斷增加僑務工作體系之單位。從交易成本的角度來說，如此龐雜的僑務工作體系，的確可以降低在搜集僑情方面的訊息成本，而且在代理成本有限與外事小組可降低部分協商成本的情況下，使得當前僑務工作體系之運作尚稱順利；但另一方面，由於其體系過於龐雜，使得各單位之間的協商成本，以及監督、考核與內部控制成本，都相當的巨大。目前看來，由於大陸對於海外僑情的需求過高，使得僑務組織降低訊息搜集成本的功能被異常凸顯，而協商、監督、考核與內部控制成本則被刻意忽視。未來，若訊息搜集與代理成本增加，而協商、監督、考核與內部控制成本無法有效降低時，則目前龐雜的僑務工作體系勢必面臨精簡、轉型與再造的組織變革挑戰。

三、僑務休兵雖然可期但仍有侷限性

當大陸的僑務工作走向多維開展之國外僑務時，當其僑務工作體系是如此之龐大與複雜時，感受壓力最大的莫過於是我國。特別是 2000 年，台灣首次政黨輪替，政治立場傾向台獨的民主進步黨開始執政，其僑務政策強調擺脫過去國民黨時期的思維，開始重視「台僑」與「新僑」，對於「華僑」與「老僑」雖然也希望兼顧，卻因為資源分配與統獨立場之歧異，加上大陸的不斷挑撥與拉攏，使得原本支持台灣的許多老僑社轉向大陸，造成我國第一線僑務工作人員的困難。然而 2008 年，國民黨的馬英九當選總統，台灣除了完成第二次政黨輪替外，兩岸在「九二共識」的基礎上採取「一個中國，各自表述」的立場，使得停滯長達近十年的海基會與海協會協商終於在 6 月 11 日恢復，達成了包括大陸觀光客來台、兩岸海運與空運直航、由週末包機提昇為定期航班等協議，使得兩岸關係由劍拔弩張轉變為互動交流頻繁。另一方面，馬英九所提出的兩岸「外交休兵」與「活路外交」，在「胡六點」所提：「兩岸在涉外事務中，避免不必要內耗」的情況下，也代表獲得大陸正面回應；而在「胡六點」指出「對台灣參與國際組織活動問題，在不造成兩個中國、一中一台的前提下，可以通過兩岸務實協商做出合情合理安排」，[5]這不但使得大陸停止對我邦交國的挖牆角舉動，我國也如願在 2009 年成為世界衛生大會（WHA）的觀察員。因此當兩岸外交休兵的情況下，兩岸在海外也產生了「僑務休兵」的可能性，海外的「台僑」、「華僑」也能從對立敵視而走向和解合作。

---

[5] 中央社，「胡錦濤：願協商台灣參與國際組織活動問題」，中時電子報網站，2009 年 7 月 29 日，請參考 http://news.chinatimes.com/2007Cti/2007Cti-News/2007Cti-News-Content/0,4521,130501+132008123101053,00.html。

誠如第三章所述，根據大陸中國新聞社在 2009 年所發布的「2008 年世界華商發展報告」中指出，2009 年時全球華僑已達約 4,800 萬人。其中從 1978 年大陸改革開放以來至 2009 年，直接從大陸移居海外的陸僑達 600 萬人。[6]因此，近年來的華僑人數增加中最主要是來自於陸僑，台灣的僑民增加則相當有限，因此若是以政治力刻意區分華僑與台僑，則對於人數較少的台僑來說不一定有利。但另一方面，兩岸僑務休兵仍有其主客觀因素的侷限性：

（一）深綠台僑的堅決反對

然而不可諱言的是，許多「鐵桿深綠」的台僑在內心深處還是排斥被歸類為華僑，特別是在海外，由於無需顧慮台灣的政治現實與選舉問題，因此台獨的思維模式並無改變的壓力，加上民進黨執政已經 8 年，此一既定立場恐怕是牢不可破。其次，大量大陸民眾移居海外，造成台僑更加覺得自己成為少數，而擔心遭到多數陸僑的打壓，所以更加排斥成為華僑。第三，是近年來陸僑在海外的表現也是毀譽參半，特別是許多負面行為被媒體大肆報導，如偷渡進入、參與犯罪、生活習慣與文化的衝突、擔任軍事或商業間諜被逮捕等情事，如此也讓台僑覺得陸僑非我族類，甚至認為會被華僑或陸僑的惡名所拖累，如此都使得雙方的嫌隙無法化解而更為嚴重。因此，對於這些深綠台僑，兩岸應該有更多的包容，大陸更不應予以刻意打壓，以免造成更大的反彈。而僑務休兵在此情況下，必須累積兩岸僑民與僑社更多的互信才有可能成功，很難一蹴可幾。

---

[6] 大陸新聞中心，「海外華人，將破 4800 萬」，聯合報網站，2009 年 2 月 3 日，請參考 http://udn.com/NEWS/MAINLAND/MAI2/4714553.shtml。

（二）大陸仍刻意迴避僑務休兵

當前，大陸似乎刻意迴避僑務休兵的問題，認為兩岸僑務「從未興兵，何來休兵」，不願意面對過去兩岸在僑務工作上劍拔弩張的事實，而僅強調所謂的「和諧僑社」。甚至由於兩岸在僑務工作上實力的懸殊，大陸在姿態上更為高傲，將親近台灣的華僑團體視為某一省的僑辦組織，甚至存在一種「中央對地方」的高傲心態。因此，當前我國應該儘快提昇僑務工作的成效與影響，其中最重要的莫過於是要重新定位僑務工作的策略。過去我國的僑務工作策略清晰，但在 1995 年李登輝前總統訪問美國遭致大陸極度反對，甚至引發文攻武嚇，如此除造成台灣民眾的不滿外，台灣政治也開始走向「本土化」。這也使得我國僑務工作開始不停在老僑與新僑的泥沼中空轉，原本的僑務政策也日益模糊。相反的，大陸當前的僑務工作戰略非常明確，並且投入大量的人力與資源，這使得我國的僑務工作不論在組織、編制與預算上都難以與其抗衡。因此，在資源有限的情況下，我國應該找尋最有可能展現成果的方向來著手，這些不但是大陸所難以超越的，更是台灣在僑務工作上的競爭優勢，包括：向海外僑胞宣揚台灣的自由、民主與法治的政治發展成果；推動中文繁體字的教學與機構設置；擴大僑生回台接受教育，特別是台灣發展甚具特色的技職教育；鼓勵台灣成功發展的各種宗教團體，向海外僑界進行拓展，例如慈濟功德會、法鼓山等。誠如前述，兩岸若要進行僑務休兵，我國應該積極厚植自身的僑務實力，否則大陸若根本看輕我國的僑務，則恐怕就不是「休兵」，因為「若無實力，則無休兵」。

第二節　後續研究建議

誠如第一章所述，有關大陸僑務政策之議題探討，目前不論國內外與大陸自身之探究成果均甚為有限，因此本研究具有相當之「開創性」，也希望能拋磚引玉的讓更多後續研究探討此一議題。本研究建議未來之探討，可以透過深度訪談法來訪談大陸僑務體系的官員，以深入瞭解其僑務政策的決策過程與執行情況，特別是中央與地方政府的僑辦體系關聯，以及地方僑辦與當地政府間的關係，因為在「條條塊塊」的政府體制下，地方僑辦是否會因為當地經濟利益或首長壓力，而違反或超越中央的僑務政策。另一方面，則建議可以到海外僑居國，透過深度訪談法、焦點團體訪談法與參與觀察法，實際瞭解大陸的海外僑務工作實況，特別是人數不斷增加的陸僑對於其僑務工作的影響，以便能夠收集第一手的資料；或者是針對華僑進行大量的問卷調查，以瞭解他們對於大陸僑務工作的認同與反映。

參考書目

壹、中文部分

一、專書

中央編委辦公室綜合司編，**中央政府組織機構**（北京：中國發展出版社，1995 年）。

方金英，**東南亞華人問題的形成與發展**（北京：中國現代國際關係研究所，2001 年）。

毛起雄、林曉東，**中國僑務政策概述**（北京：中國華僑出版社，1993 年）。

王耀生，**新制度主義**（台北：揚智出版公司，1997 年）。

任貴祥，**華僑與中國民族民主革命**（北京：中央編譯出版社，2005 年）。

莊國土，**華僑華人與中國的關係**（廣州：廣東高等教育出版社，2001 年）。

吳前進，**美國華僑華人文化變遷論**（上海：上海社會科學院出版社，1998 年）。

李安山主編，**中國華僑華人學：學科定位與研究展望**（北京：北京大學出版社，2006 年）。

李智，**文化外交：一種傳播學的解讀**（北京：北京大學出版社，2006 年）。

杜平，**西部大開發戰略決策者若干問題**（北京：中央文獻出版社，2000 年）。

周敏，**美國華人社會的變遷**（上海，上海三聯出版社，2006 年）。

林佳龍主編，**未來中國：退化的極權主義**（台北：時報文化出版公司，2004 年）。

胡永明，**市場經濟與產權改革**（北京：中國人民大學出版社，1993 年）。

胡宗山，**中國的和平崛起：理論、歷史與戰略**（北京：世界知識出版社，2006 年）。

胡繩，**中國共產黨的七十年**（北京：中共黨史出版社，1991 年）。

唐慧，**印度尼西亞歷屆政府華僑華人政策的形成與演變**（北京：世界知識出版社，2006 年）。

展望與探索雜誌社編，**中國大陸綜覽**（台北：展望與探索雜誌社，2003 年）。

高安邦，**政治經濟學**（台北：五南出版公司，1997 年）。

寇斯（Ronald H. Coase）、阿爾欽（Armen Alchian）、諾斯（Douglass C. North）等著，胡莊君、陳劍波等譯，**財產權利與制度變遷:產權學派與新制度學派譯文集**（上海：上海三聯書店，1994 年）。

寇斯（Ronald H. Coase）著，陳坤銘、李華夏譯，**廠商、市場與法律**（台北：遠流出版公司，1995 年）。

張五常，**賣桔者言**（香港：信報有限公司，1990 年）。

張克難，**作為制度的市場和市場背後的制度-公有產權制度與市場經濟的親和**（上海：立信會計出版社，1996 年）。

張軍，**現代產權經濟學**（上海：三聯書店，1990 年）。

張清溪、許嘉棟、劉鶯釧、吳聰敏，**經濟學理論與實際上冊**（台北：翰蘆出版公司，1995 年）。

張清溪、許嘉棟、劉鶯釧、吳聰敏，**經濟學理論與實際下冊**，（台北：翰蘆出版公司，1995 年）。

許志嘉，**中共外交決策模式研究**（台北：水牛出版社，2001 年）。

郭瑞華，**中共對台工作組織體系概論**（台北：法務部調查局，2004 年）。

麥禮謙，**從華僑到華人：二十世紀美國華人社會發展史**（香港：三聯書店，1997年）。

曾少聰，**漂泊與根植：當代東南亞華人族群關係研究**（北京：中國社會科學出版社，2004年）。

程光泉，**全球化與價值衝突**（長沙：湖南人民出版社，2003年）。

黃昆章、吳金平，**加拿大華僑華人史**（廣州：廣東高等教育出版社，2001年）。

楊勝春，**中國最高領導班子的左右手—中共中央直屬機構檔案（1949-1998）**（台北：永業出版社，2000年）。

賈海濤、石滄金，**海外印度人與海外華人國際影響力比較研究**（濟南：山東人民出版社，2007年）。

樊綱，**市場機制與經濟效率**（台北：遠流出版社，1993年）。

樊綱，**經濟文論**（北京：三聯書店，1995年）。

樊綱，**漸進改革的政治經濟學分析**（上海：遠東出版社，1996年）。

談蕭，**中國走出去發展戰略**（北京：中國社會科學出版社，2003年）。

諾斯（Douglass C. North）著，劉瑞華譯，**制度、制度變遷與經濟成就**（台北：遠流出版公司，1995年）。

魏艾，**中國大陸經濟發展與市場轉型**（台北：揚智文化公司，2003年）。

二、學術期刊論文及書籍專章

王銘銘，「居與遊：僑鄉研究對『鄉土中國』人類學的挑戰」，陳志明、丁毓玲、王連茂主編，**跨國網絡與華南僑鄉**（香港：香港中文大學香港亞太研究所），頁15-54。

吳小安，「福建學與東南亞福建學：個案透視與學術建構」，林忠強、陳慶地、莊國土、聶德寧主編，**東南亞的福建人**（廈門：廈門大學出版社，2006），頁23-46。

吳惠林，「法律經濟學的先驅-1991 年諾貝爾經濟學獎得主寇斯教授」，**律師通訊**，1991 年 12 月號（1991 年 12 月），頁 25-28。

吳惠林，「寇斯的生平貢獻與其他」，**經濟前瞻**，第 25 號（1992 年 1 月），頁 125-130。

吳錦勳，「全球小菁英拼中文」，**商業週刊**，第 1057 期（2008 年 2 月），頁 101-108。

汪丁丁，「交易費用與博奕均衡」，盛洪主編，**中國經濟學 1995**（上海：人民出版社，1996 年），頁 54-80。

邵宗海，「中共中央工作領導小組的組織定位」，**中國大陸研究**，第 48 卷第 3 期（2005 年 9 月），頁 1-24。

胡汝銀，「中國改革的政治經濟學」，盛洪主編，**中國的過渡經濟學**（上海：三聯書店，1995 年），頁 64-89。

胡鍵，「中國軟力量：要素、資源、能力」，劉杰主編，**國際體系與中國的軟力量**（北京：時事出版社，2006 年），頁 116-133。

范世平、徐蕙萍、張五岳、魏艾、樊中原，「從胡六點發佈看中共當前之對台對策」，**亞太和平研究基金會政策報告**，2009 年第 1 期（2009 年 3 月），頁 13-19。

范世平，「上海世博會開創兩岸政經契機」，**國際商情**，第 269 期（2009 年 6 月），頁 12-15。

范世平，「從交易成本理論探討當前中國大陸僑務之工作體系與運作模式」，**遠景基金會季刊**，第 10 卷第 3 期（2009 年 7 月），頁 33-75。

苗壯，「制度變遷中的改革戰略選擇問題」，盛洪主編，**中國的過渡經濟學**（上海：三聯書店，1995 年），頁 90-107。

袁翔鳴，「中國特務工作六大機關之任務、特色、人脈全比較」，**SAPIO**（東京），第 19 卷第 8 期（2007 年 4 月），頁 12-14。

高長，「大陸現階段外資政策評析」，**貿易雜誌**，第 82 期（2001 年 8 月），頁 19-23。

康紹邦，「中國和平崛起新道路思考」，**中國評論**，第 75 期（2004 年 3 月），頁 10-13。

張五常，陳怡宜譯，「寇斯小傳」，**經濟前瞻**，第 25 號（1992 年 1 月），頁 132-134。

張軍，「中央計畫經濟下的產權與制度變遷理論」，盛洪主編，**中國的過渡經濟學**（上海：三聯書店，1995 年），頁 209-229。

張順教，「廠商理論的演變概述」，**經濟前瞻**，第 32 號，1993 年 10 月，頁 130-132。

張曙光，「國家能力與制度變革和社會轉型」，盛洪主編，**中國經濟學 1995**（上海：人民出版社，1996 年），頁 229-250。

盛洪，「尋求改革的穩定形式」，盛洪主編，**中國的過渡經濟學**（上海：三聯書店，1995 年），頁 16-34。

盛洪，「為什麼人們會選擇對自己不利的制度安排」，盛洪主編，**中國經濟學 1995**（上海：人民出版社，1996 年），頁 81-93。

郭梁，「建設中國的華僑華人學：有關學科問題的幾點看法」，李安山主編，**中國華僑華人學：學科定位與研究展望**（北京：北京大學出版社，2006 年），頁 1-12。

彭浩偉，「中國大動作投資西方，歐美審慎以對」，**商業週刊**，第 1028 期（2007 年 8 月），頁 160-162。

彭浩偉，「中國商業間諜橫行，受害國反擊有忌憚」，**商業週刊**，第 1030 期（2007 年 8 月），頁 154-155。

黃奎博，「從零和走向雙贏：我國活路外交的戰略轉折」，蔡朝明主編，**馬總統執政後的兩岸新局：論兩岸關係新路向**（台北：兩岸交流遠景基金會，2009 年），頁 87-101。

楊蕙菁，「美開放中國觀光團簽，不忘看緊門戶」，**商業週刊**，第 1049 期（2007 年 12 月），頁 172-174。

樊綱，「兩種改革成本與兩種改革方式」，盛洪主編，**中國的過渡經濟學**（上海：三聯書店，1995 年），頁 134-161。

樊綱，「論改革過程」，盛洪主編，**中國的過渡經濟學**（上海：三聯書店，1995 年），頁 35-63。

三、未出版之學位論文

田雛鳳，「江澤民僑務思維及政策之研究」，銘傳大學國家展與兩岸關係碩士在職專班碩士學位論文（2006 年）。

蕭丁偉，「契約選擇與交易成本-引證自台灣清朝宜蘭的水利契約」，國立清華大學經濟學研究所碩士論文（1993 年）。

貳、英文部分

一、專書

Bromley, Daniel W., *Economic Interests and Institution: The Conceptual Foundations of Public Policy* (New York: Basil Blackwell Inc., 1989).

Cheung, Steven N. S., *The Theory of Share Tenancy* (Chicago: The University of Chicago, 1969).

Dahlman, Cral J., *The Open Field System and Beyond* (U.K.:Cambridge University, 1980).

Eggertsson, Thrainn, *Economic Behavior and Institutions* (Cambridge: Cambridge University, 1990).

Field, Barry C., *Induced Change in Property Rights Institutions* (Amherst: University of Massachusetts, 1986).

Freedman, Amy L., *Political Participation and Ethnic Minorities: Chinese Overseas in Malaysia, Indonesia, and the United States* (New York: Routledge, 2000).

Gambe, Annabelle R., *Overseas Chinese Entrepreneurship and Capitalist Development in Southeast Asia* (New York: St. Martin's Press, 2000).

Hicks, George L., *Overseas Chinese Remittances from Southeast Asia: 1910-1940* (Singapore: Select Books, 1993).

Koehn, Peter H. and Xiao-huang Yin,*The Expanding Roles of Chinese Americans in U.S.-China Relations* (New York: M.E. Sharpe, 2002).

Mak, Lau-Fong,*The Overseas Chinese Network: Forms and Practices in Southeast Asia* (Taipei: Academia Sinica, Program for Southeast Asian Area Studies, 1999).

North, Douglass C., *Structure and Change in Economic History* (New York: W.W. Norton, 1979).

Nye, Joseph S., *Bound to Lead:The Changing Nature of American Power* (New York:Basic Books, 1990).

Posner, Richard A., *Economic Analysis of Law* (Boston: Little Brown, 1977).

Sinn, Elizabeth, *The Last Half Century of Chinese Overseas* (Hong Kong: Hong Kong University Press, 1998).

Stewart, David W., *Secondary Research: Information Sources and Methods* (Newbury Park: Sage Publications, 1993).

Swaine, Michael D., *The Role of the Chinese Military in National Security Policymakin* （C.A.: RAND, 1998）.

Wang, Gungwu, *China and the Chinese Overseas* (Singapore: Times Academic Press, 1991).

Williams, Lea E., *The Future of the Overseas Chinese in Southeast Asia* (Ann Arbor: A Bell & Howell Co., 1993).

Williamson, Oliver E., *Markets and Hierarchy:Analysis and Antitrust Implications* (New York: Free Press, 1975).

Yen, Ching-huang, *Studies in Modern Overseas Chinese History* (Singapore: Times Academic Press), 1995.

二、學術期刊論文及書籍專章

Alchian, Armen A. and Harold Demsetz, "Production, Information Costs, and Economic Organization", *The American Economic Review*, Vol.62 (December 1972), pp.777-795.

Barzel, Yoram, "Measurement Cost and The Organization of Markets," *The Journal of Law and Economics,* Vol. 25, No. 1 (April 1982), pp. 27-48.

Cheung, Steven N. S., "The Contractual Nature of The Firm", *The Journal of Law and Economics,* Vol.26, No.1 (April 1983), pp.1-22.

Coase, Ronald H., "The Lighthouse in Economics", *The Journal of Law and Economics*, Vol.17, No.2 (October 1974), pp. 357-376.

Coase, Ronald H., "The Nature of the Firm", *Economica,* Vol. 43 (November 1937), pp.386-405。

Coase,Ronald H., "The Problem of Social Cost", *The Journal of Law and Economics*, Vol.3, No.1 (October 1960), pp.1-44.

Dahlman,Cral J., "The Problem of Externality", *Journal of Legal Studies*, Vol.1 (1979), pp.903-910.

Furubotn,Eirik G. and Svetozar Pejovich, "Property Rights and Economic Theory: A Survey of Recent Literature", *The Journal of Economic Literature*, Vol.10, No.4 (December 1972), pp.1137-1162.

Gilley,Bruce, "Taiwan's Democratic Transition: A Model for Taiwan?", in Bruce Gilley and Larry Diamond eds., *Political Change in China: Comparisons With Taiwan* (Colorato: Lynne Rienner Publishers, Inc., 2008), pp.215-241.

Jensen, Michael C. and William H. Meckling, "Theory of the Firm:Managerial Behavior, Agency Costs and Ownership Structure", *Journal of Financial Economy*, Vol.3 (1976), pp.305-360.

Klein,Benjamin, "Transaction Cost Determinants of Unfair Contractual Arrangements", *The American Economic Review*, Vol.70, No.2 (May 1980), pp.356-362.

Klein, Benjamin, Robert G. Crawford and Armen A. Alchian, "Vertical Integration, Appropriable Rents, and The Competitive Contracting Process", *The Journal of Law and Economics*, Vol.2 (October 1978), pp.297-326.

Lin,Justin Yifu, "An Economic Theory of Institutional Change:Induced and Imposed Change", *The Cato Journal*, Vol .9 (1989), pp.1-33.

Matthews, R.C.O., "The Economics of Institutions and the Sources of Growth", *Economic Journal*, Vol.12 (December 1986), pp.902-910.

North, Douglass C. and Robert P. Thomas, "The First Economic Revolution", *Economic History Review*, Vol.30 (1977), pp.229-241.

Nye, Joseph S., "Soft Power", *Foreign Policy*,issue 80 (Fall 1990), pp.153-171.

Nye, Joseph S., "The Changing Nature of World Power", *Political Science Quarterly*, Vol.105, No.2 (1990), pp.177-192.

Simon, Herbert,*Model of Man* (New York: John Wiley and Sons, 1957).

Stigler, George J., "The Law and Economics of Public Policy: A Plea to the Scholars", *The Journal of Legal Studies,*Vol.1, No.1 (January 1972), pp.1-12.

Williamson, Oliver E.,"The Vertical Integration of Production:Market Failure Considerations", *The American Economic Revuew,*Vol.2 (May 1971), pp.112-123.

Williamson, Oliver E.,"Transaction-Cost Economics: The Governance of Contractual Relations", *The Journal of Law and Economics*, Vol .22,No.2 (October 1979), pp.233-261.

國家圖書館出版品預行編目

中國大陸僑務政策與工作體系之研究 / 范世平著.
-- 一版. -- 臺北市 : 秀威資訊科技, 2010.02
面 ; 公分. -- (社會科學類 ; AF0133)
BOD 版
ISBN 978-986-221-414-5 (平裝)

1. 僑務 2. 公共政策 3.組織研究 4.中國

577.21 99002552

社會科學類 AF0133

中國大陸僑務政策與工作體系之研究

作　　者 / 范世平
發 行 人 / 宋政坤
執行編輯 / 黃姣潔
圖文排版 / 黃莉珊
封面設計 / 蕭玉蘋
數位轉譯 / 徐真玉　沈裕閔
圖書銷售 / 林怡君
法律顧問 / 毛國樑　律師
出版印製 / 秀威資訊科技股份有限公司
台北市內湖區瑞光路 583 巷 25 號 1 樓
電話 :02-2657-9211　傳真 :02-2657-9106
E-mail：service@showwe.com.tw
經 銷 商 / 紅螞蟻圖書有限公司
台北市內湖區舊宗路二段 121 巷 28、32 號 4 樓
電話 :02-2795-3656　傳真 :02-2795-4100
http://www.e-redant.com

2010 年 2 月 BOD 一版
定價：320 元

讀　者　回　函　卡

感謝您購買本書，為提升服務品質，煩請填寫以下問卷，收到您的寶貴意見後，我們會仔細收藏記錄並回贈紀念品，謝謝！

1.您購買的書名：＿＿＿＿＿＿＿＿＿＿＿＿＿＿＿＿

2.您從何得知本書的消息？

□網路書店　□部落格　□資料庫搜尋　□書訊　□電子報　□書店

□平面媒體　□ 朋友推薦　□網站推薦　□其他＿＿＿＿＿＿

3.您對本書的評價：(請填代號　1.非常滿意 2.滿意 3.尚可 4.再改進)

封面設計＿＿　版面編排＿＿　內容＿＿　文/譯筆＿＿　價格＿＿

4.讀完書後您覺得：

□很有收獲　□有收獲　□收獲不多　□沒收獲

5.您會推薦本書給朋友嗎？

□會　□不會，為什麼？＿＿＿＿＿＿＿＿＿＿＿＿＿＿＿＿＿＿＿＿＿

6.其他寶貴的意見：＿＿＿＿＿＿＿＿＿＿＿＿＿＿＿＿＿＿＿＿＿＿＿

＿＿＿＿＿＿＿＿＿＿＿＿＿＿＿＿＿＿＿＿＿＿＿＿＿＿＿＿＿＿＿＿

＿＿＿＿＿＿＿＿＿＿＿＿＿＿＿＿＿＿＿＿＿＿＿＿＿＿＿＿＿＿＿＿

＿＿＿＿＿＿＿＿＿＿＿＿＿＿＿＿＿＿＿＿＿＿＿＿＿＿＿＿＿＿＿＿

讀者基本資料

姓名：＿＿＿＿＿＿＿＿＿＿＿　年齡：＿＿＿　性別：□女　□男

聯絡電話：＿＿＿＿＿＿＿＿＿　E-mail：＿＿＿＿＿＿＿＿＿＿＿

地址：＿＿＿＿＿＿＿＿＿＿＿＿＿＿＿＿＿＿＿＿＿＿＿＿＿＿

學歷：□高中(含)以下　□高中　□專科學校　□大學

□研究所(含)以上　□其他＿＿＿＿＿＿＿＿

職業：□製造業　□金融業　□資訊業　□軍警　□傳播業　□自由業

□服務業　□公務員　□教職　□學生　□其他＿＿＿＿＿＿

請貼郵票

To：114

台北市內湖區瑞光路583巷25號1樓

秀威資訊科技股份有限公司　　　收

寄件人姓名：

寄件人地址：□□□

(請沿線對摺寄回,謝謝!)

秀威與BOD

BOD（Books On Demand）是數位出版的大趨勢，秀威資訊率先運用POD數位印刷設備來生產書籍，並提供作者全程數位出版服務，致使書籍產銷零庫存，知識傳承不絕版，目前已開闢以下書系：

一、BOD 學術著作—專業論述的閱讀延伸
二、BOD 個人著作—分享生命的心路歷程
三、BOD 旅遊著作—個人深度旅遊文學創作
四、BOD 大陸學者—大陸專業學者學術出版
五、POD 獨家經銷—數位產製的代發行書籍

BOD秀威網路書店：www.showwe.com.tw
政府出版品網路書店：www.govbooks.com.tw

永不絕版的故事・自己寫・永不休止的音符・自己唱